Libro del alumno

Nivel 4

B1

Novela *Anaconda*, de Horacio Quiroga. (Versión adaptada)
Descubre Argentina: extractos del libro *Argentina. Manual de civilización.*

María Ángeles Palomino

edelsa
GRUPO DIDASCALIA, S.A.

Este es un curso de español para jóvenes que parte de las aportaciones de dos documentos oficiales:

- El *Marco común de referencia*, que ofrece unas pautas metodológicas y describe los niveles de dominio de todas las lenguas.
- Los *Niveles de referencia para el español*, que fijan los contenidos lingüísticos y socioculturales para cada nivel.

Por lo tanto, este curso propone una metodología **innovadora** y **actual** porque aplica las recomendaciones del *Marco* proponiendo un enfoque por competencias orientado a la acción y recogiendo las recomendaciones de los *Niveles de referencia*, pero adaptándolas a los *planes de estudios de la Enseñanza Secundaria.*

ESTRUCTURA del libro del alumno:

- Un módulo O para revisar los contenidos vistos en los años anteriores antes de empezar con los del nuevo curso.
- **6 módulos organizados como sigue:**
• Página de presentación con los objetivos del módulo: contenidos y competencias que se van a desarrollar.
• Dos lecciones de dos páginas cada una. Una lección trata sobre la *comunicación diaria* y la siguiente hace hincapié en la *lectura* para que el alumno conozca algunos textos literarios y pueda desarrollar la comprensión lectora y la expresión escrita.
• Una página, Profundiza, para reforzar los contenidos vistos.
• Una página, Acción: puesta en práctica y uso.
• Dos dobles páginas, Mundo hispano:
  • Descubre Argentina donde, además de dar a conocer este país a los alumnos, se les sensibiliza a la *pluriculturalidad.*
  • Una presentación de un país o civilización para facilitar la comprensión del mundo de lengua española.
• Una doble página, Prepara tu examen, que es la recopilación de todo lo visto anteriormente.
• Una página de autoevaluación, Evalúa tus conocimientos.

Después de los 6 módulos:
- Una novela adaptada, ***Anaconda***, de H. Quiroga.
La novela está dividida en 6 lecturas, una después de cada módulo para familiarizar a los alumnos con las grandes obras literarias y fortalecer su comprensión lectora.
- 3 Proyectos: uno cada dos módulos, para profundizar en la producción oral.
- Un Apéndice gramatical, que recoge la globalidad de la gramática estudiada.

- En el cuaderno de ejercicios encontrará fichas para cada módulo.

Módulo 1:
La gente

Acción
Haces un informe sobre tu clase

página 11

Módulo 2:
Los sueños y las relaciones personales

Acción
Creas el noticiero del instituto

página 25

Módulo 3:
La naturaleza y la ecología

Acción
Conoces las peculiaridades de los países hispanos

página 39

Competencia pragmática

▶ **Eres capaz de...**
▶▶ Describir el carácter.
▶▶ Justificar una idea.
▶▶ Hablar de los demás.
▶▶ Manifestar interés, preocupación, etc.
▶▶ Expresar reacciones y sentimientos.
▶▶ Contar sueños y deseos.
▶▶ Dar tu opinión.

▶ **Eres capaz de...**
▶▶ Realizar una entrevista.
▶▶ Indicar tus gustos e intereses.
▶▶ Expresar deseos de difícil realización.
▶▶ Formular preguntas indirectas.
▶▶ Hablar de relaciones familiares.
▶▶ Contar un problema.
▶▶ Hacer propuestas y sugerir.

▶ **Eres capaz de...**
▶▶ Hablar de la naturaleza.
▶▶ Describir lugares y paisajes.
▶▶ Relacionar acontecimientos.
▶▶ Comparar.
▶▶ Responder con diferentes grados de seguridad.
▶▶ Expresar ignorancia.
▶▶ Mostrar acuerdo y desacuerdo.
▶▶ Hacer recomendaciones y poner condiciones.

Competencias lingüísticas

Competencia gramatical

▶ **Aprendes...**
▶▶ Usos de los verbos ser y estar.
▶▶ Verbos de sentimiento (interesar, preocupar, alegrar...).
▶▶ La oración causal con es que.
▶▶ Verbos de deseo.
▶▶ La oración concesiva con aunque y sin embargo.

▶ **Aprendes...**
▶▶ Preguntas indirectas.
▶▶ Formas y usos del condicional.
▶▶ Expresiones de deseo en condicional.
▶▶ Verbos que expresan relaciones entre las personas (llevarse bien / mal, caerle bien / mal, etc.)
▶▶ Los adjetivos.

▶ **Aprendes...**
▶▶ Los pronombres relativos con y sin preposición.
▶▶ Los comparativos y superlativos.
▶▶ La oración condicional real.
▶▶ Forma y usos del futuro.
▶▶ Verbos de obligación, necesidad y posibilidad con infinitivo.

Competencia léxica

▶ **Conoces...**
▶▶ Adjetivos para describir el carácter.
▶▶ Verbos de sentimiento.

▶ **Conoces...**
▶▶ Adjetivos para describir según los sentidos.
▶▶ Estilos musicales.
▶▶ Expresiones y verbos para valorar personas.
▶▶ Secciones de un periódico.

▶ **Conoces...**
▶▶ Paisajes naturales.
▶▶ Ecología y naturaleza.

Conocimiento sociocultural

▶ **Mundo hispano...**
▶▶ Descubre Argentina.
▶▶ Honduras.

▶ **Mundo hispano...**
▶▶ Descubre Argentina.
▶▶ República Dominicana.

▶ **Mundo hispano...**
▶▶ Descubre Argentina.
▶▶ Filipinas y Guinea Ecuatorial.

Módulo 4:
El mundo y las personas

Cuentas una anécdota

página 53

▶ **Eres capaz de...**
▸▸ Expresar los intereses.
▸▸ Describir una tarea.
▸▸ Hablar de intercambios.
▸▸ Valorar una experiencia pasada.
▸▸ Transmitir las palabras de otra persona.
▸▸ Relatar en pasado.

▶ **Aprendes...**
▸▸ Usos del pronombre lo.
▸▸ Los pronombres y los adjetivos indefinidos.
▸▸ El estilo indirecto en pasado.
▸▸ Forma y usos del pretérito pluscuamperfecto.
▸▸ Usos de los tiempos del pasado.
▸▸ La formación de palabras con el sufijo –nte.

▶ **Conoces...**
▸▸ Intereses turísticos.
▸▸ Valoraciones.

▶ **Mundo hispano...**
▸▸ Descubre Argentina.
▸▸ Mundo azteca.

Módulo 5:
Los objetos cotidianos

Describes un objeto fantástico

página 67

▶ **Eres capaz de...**
▸▸ Describir el pasado.
▸▸ Relatar las acciones habituales pasadas.
▸▸ Hablar del tiempo y del clima.
▸▸ Describir un paisaje.
▸▸ Comentar los cambios.

▶ **Aprendes...**
▸▸ Los verbos regulares e irregulares en imperfecto.
▸▸ Los verbos hacer, estar y haber en presente y en imperfecto para hablar del tiempo.
▸▸ Ya no + verbo.

▶ **Conoces...**
▸▸ Las palabras para describir un paisaje.
▸▸ Los fenómenos atmosféricos.

▶ **Mundo hispano...**
▸▸ Descubre Argentina.
▸▸ Mundo inca.

Módulo 6:
Después del instituto

Decides tu futuro

página 81

▶ **Eres capaz de...**
▸▸ Describirte a ti mismo para orientarte profesionalmente.
▸▸ Narrar las actividades cotidianas y relacionarlas.
▸▸ Hablar de actividades futuras e indicar el momento en que van a ocurrir.
▸▸ Programar actividades.
▸▸ Hacer sugerencias y recomendaciones y reproducir las que hacen otras personas.
▸▸ Indicar la finalidad.
▸▸ Presentar una profesión.

▶ **Aprendes...**
▸▸ La oración temporal con cuando + indicativo o subjuntivo.
▸▸ Verbos para transmitir sugerencias.
▸▸ El presente de subjuntivo en el estilo indirecto.
▸▸ La oración final con para + infinitivo o para que + subjuntivo.

▶ **Conoces...**
▸▸ Las profesiones y sus características.
▸▸ Los adjetivos para describir la personalidad.

▶ **Mundo hispano...**
▸▸ Descubre Argentina.
▸▸ Mundo maya.

Revisión de los contenidos anteriores

Recuerda el vocabulario

 1 **Los alimentos.**
Marca con una cruz de qué alimento se trata.

	Fruta	Verdura	Lácteos	Pescado	Carne
manzana					
guisante					
salchichón					
leche					
zanahoria					
pimiento					
merluza					
cerdo					
cebolla					
mantequilla					
naranja					
jamón					
queso					
plátano					
pollo					
patata					
pera					
salmón					
atún					
yogur					

 2 **La ciudad.**
¿En qué tiendas puedes comprar estos productos? Relaciona.

Relaciona

1. un sello
2. aspirinas
3. un kilo de naranjas
4. unos vaqueros
5. una barra de pan
6. un periódico
7. una tarta de fresas
8. medio kilo de chuletas de cordero
9. un kilo de merluza

a. un quiosco
b. una frutería
c. una pescadería
d. una carnicería
e. Correos
f. una pastelería
g. una panadería
h. una tienda de ropa
i. una farmacia

3 Los números.

Escribe estos números con letras.

3.684   8.907   2.005
5.772   19.085   25.502

4 El cuerpo.

Escribe el número correspondiente
a cada parte del cuerpo.

☐1 la mano
☐2 la rodilla
☐3 el pie
☐4 el cuello
☐5 la cabeza
☐6 el hombro
☐7 la pierna
☐8 el codo
☐9 el ojo
☐10 el dedo
☐11 el estómago
☐12 el pecho
☐13 la espalda

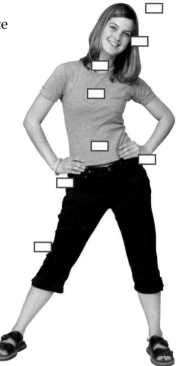

5 La casa.

Completa el esquema con las palabras de la lista.

el despertador   el lavabo   el armario   el fregadero   el horno   la mesilla
la nevera   el sofá   la mesa   el váter   la cama   la ducha   el sillón
la silla   el espejo   la alfombra   la tele

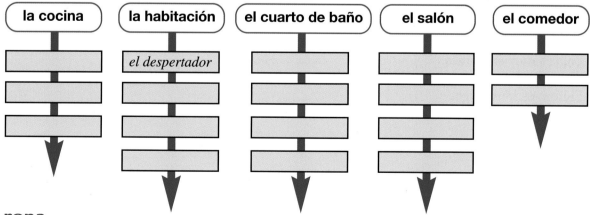

6 La ropa.

Viste a estos tres amigos.

• Elena va a una fiesta de cumpleaños: *Elena lleva un vestido y...*
• José va a jugar al fútbol:
• Raquel va a pasear al campo:

Módulo

Revisión de los contenidos anteriores

Recuerda la gramática

1 **Los pronombres personales.**

a. Transforma las frases como en el modelo.

a. Voy a leer el libro.   *Voy a leerlo. / Lo voy a leer.*
b. Vamos a escuchar los CD.   ....
c. Estamos viendo la película.   ....
d. ¿Puedes abrir las ventanas?   ....
e. Quieren comprar una postal.   ....

Puntuación

.../ 4
Si tienes:
3 ó más   Menos de 3
Muy bien   Repasa los pronombres

b. Transforma las frases. Usa dos pronombres.

a. Presto mi CD a Pablo.   *Se lo presto.*
b. Das los libros a tus hermanos.   ....
c. Enviamos un *e-mail* a Elena.   ....
d. Enseño mi habitación a mis amigas.   ....
e. Devuelves el libro a Pedro.   ....

Puntuación

.../ 4
Si tienes:
3 ó más   Menos de 3
Muy bien   Repasa los pronombres

2 **Los demostrativos.**

¿Dónde está(n)?

este libro	**AQUÍ**	esta bicicleta
aquellos chicos	**AHÍ**	esos coches
esas casas	**ALLÍ**	esa chica

Puntuación

.../ 6
Si tienes:
5 ó más   Menos de 3
Muy bien   Repasa los demostrativos

3 **El superlativo.**

Transforma las frases según el modelo.

a. Esta falda es muy cara.   *Es carísima.*
b. Estas películas son muy interesantes.   ....
c. Lola es muy simpática.   ....
d. El ejercicio de matemáticas es muy fácil.   ....
e. El libro es muy largo.   ....

Puntuación

.../ 4
Si tienes:
3 ó más   Menos de 3
Muy bien   Pide al profesor que te lo explique

4 **Los posesivos.**

Contesta con posesivos.

a. ¿De quién es el libro?   YO   *Es mío. / Es el mío.*
b. ¿De quién es la chaqueta?   PEDRO   ....
c. ¿De quién son los CD?   ALICIA   ....
d. ¿De quién son estos lápices?   TÚ   ....
e. ¿De quién es esta casa?   NOSOTROS   ....

Puntuación

.../4
Si tienes:
3 ó más   Menos de 3
Muy bien   Repasa los posesivos

5 El imperativo.
Completa el cuadro.

Tú	Usted
haz	
	cierre
	pida
ve	

6 El imperfecto.
Conjuga los verbos en imperfecto y completa el crucigrama.

1. escuchar, tú
2. vivir, usted
3. mirar, yo
4. tener, nosotros
5. ir, tú
6. volver, nosotros
7. estar, ellos
8. ser, nosotros
9. dar, nosotros
10. leer, tú
11. hacer, ellas
12. ver, él

7 Los pasados.
Escribe frases como en el ejemplo.

> Nosotros / ver la televisión / ayer. *Ayer vimos la televisión.*

a. Yo / llamar / a mis primas / anoche.
....

b. Ellas / ayudar / a su madre / el sábado.
....

c. Carlos / quedarse en casa / el pasado fin de semana.
....

d. Vosotros / ir al cine / el viernes.
....

e. Tú / comprar regalos /para mi cumpleaños.
....

f. Ellos / jugar al tenis / con nosotros.
....

g. Nosotros / estudiar / para el examen de ayer.
....

h. Yo / hacer / la cama.
....

Módulo

Revisión de los contenidos anteriores

Preséntate y conoce a tu clase

1 **La agenda de clase.**

Pregunta a tus compañeros su nombre, su dirección electrónica y su teléfono, y anótalos en una agenda.

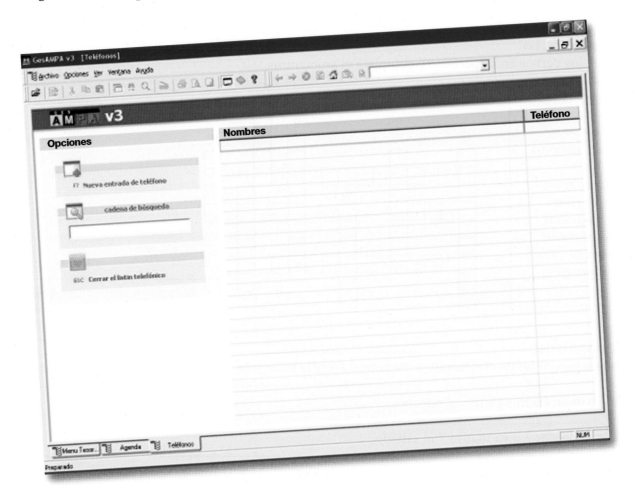

2 **Conoce a tus compañeros de clase.**

Escribe un texto sobre ti mismo para presentarte.

- ¿Cómo eres?
- ¿Cuáles son tus aficiones? ¿Qué te gusta hacer en tu tiempo libre?
- ¿Qué has hecho estas vacaciones?
- ¿Has pensado qué vas a hacer después de la escuela? ¿Qué profesión te gusta? ¿Por qué?
- Indica tus actividades favoritas de tiempo libre (deportes, espectáculos, música, actividades...).

3 **¿Cómo son tus compañeros de clase?**

Pregunta a tus compañeros y conócelos. ¿Quién tiene gustos y formas de ser parecidos a los tuyos?

Módulo **1**

▶ la gente

Haces un informe sobre tu clase

Competencia pragmática

▶ Eres capaz de...

- ›› **Describir el carácter.**
- ›› **Justificar una idea.**
- ›› **Hablar de los demás.**
- ›› **Manifestar interés, preocupación, etc.**
- ›› **Expresar reacciones y sentimientos.**
- ›› **Contar sueños y deseos.**
- ›› **Dar tu opinión.**

Competencias lingüísticas

Competencia gramatical

▶ Aprendes...

- ›› **Usos de los verbos** ser y estar.
- ›› **Verbos de sentimiento** (interesar, preocupar, alegrar...).
- ›› **La oración causal con** es que.
- ›› **Verbos de deseo.**
- ›› **La oración concesiva con** aunque y sin embargo.

Competencia léxica

▶ Conoces...

Adjetivos para describir el carácter.
Verbos de sentimiento.

Conocimiento sociocultural

▶ Mundo hispano...

- ›› **Descubre Argentina.**
- ›› **Presentación de Honduras.**

▶ **Recomendamos la lectura 1, pág. 96.**

PARA LEER

1

¿Sabes cómo eres?

LECTURA   Cuento fantástico

Jorge Luis Borges es un escritor argentino muy conocido por sus cuentos breves. En el libro El Aleph, *publicado en 1949 y que incluye este cuento, muestra de forma metafórica distintas realidades del mundo. En* Los dos reyes y los dos laberintos *habla de la lucha por el poder.*

1   Cuentan los hombres dignos de fe (...) que en los primeros días hubo un rey de las islas de Babilonia que congregó a sus arquitectos y magos y les mandó construir un laberinto tan complejo y sutil que los varones más prudentes no se aventuraban a entrar, y los que entraban se perdían. (...) Con el andar del tiempo vino a su corte
5   un rey de los árabes, y el rey de Babilonia (para hacer burla de la simplicidad de su huésped) lo hizo penetrar en el laberinto, donde vagó afrentado y confundido hasta la declinación de la tarde. Entonces imploró socorro divino y dio con la puerta. Sus labios no profirieron queja ninguna, pero le dijo al rey de Babilonia que él en Arabia tenía otro laberinto y que se lo daría a conocer algún día. Luego re-
10 gresó a Arabia, juntó sus capitanes y sus alcaides y estragó los reinos de Babilo- nia con tan venturosa fortuna que derribó sus castillos, rompió sus gentes e hizo cautivo al mismo rey. Lo amarró encima de un camello veloz y lo llevó al desierto. Cabalgaron tres días, y le dijo: «¡Oh, rey del tiempo y sustancia y cifra del siglo!, en Babilonia me quisiste perder en un laberinto de bronce con muchas escaleras, puer-
15 tas y muros; ahora el Poderoso ha tenido a bien que te muestre el mío, donde no hay escaleras que subir, ni puertas que forzar, ni fatigosas galerías que recorrer, ni muros que te veden el paso». Luego le desató las ligaduras y lo abandonó en mitad del desierto, donde murió de hambre y de sed.

PARA SABER MÁS
www.epdlp.com/borges.html
www.literatura.org/Borges/
Borges.html

1 Vocabulario

a. Haz una lista con las palabras nuevas del texto y busca su significado con la ayuda del contexto.
b. Copia en tu cuaderno todos los sustantivos y adjetivos utilizados para describir a los personajes.

2 Comprensión

1. **ARGUMENTO:** identifica las **acciones** más importantes. Después, escribe un breve resumen.
2. **TEMA:** ¿cuál es la **idea básica** del texto? Define la **intención** del autor en un par de frases.
3. **ESTRUCTURA:**
a. Anota las **palabras claves** alrededor de las cuales se articula el texto.
b. Fíjate en los **hechos centrales** y en los **secundarios**. Después, observa cómo se encadenan y subraya los conectores.
c. ¿La estructura corresponde al esquema **introducción – desarrollo – desenlace**?
d. Localiza y caracteriza a los **personajes principales** y **secundarios**.

3 Análisis

1. Caracteriza la personalidad de los reyes según los laberintos de cada uno.
2. ¿Por qué el rey de los árabes destruye los reinos de Babilonia? ¿Por qué captura al rey de Babilonia y lo lleva al desierto?
3. Reflexiona sobre el cuento. ¿Puedes sacar alguna enseñanza o moraleja?

4 Tu comentario

¿Te parece bien la reacción del rey de Arabia?
¿Crees que hay otras formas de solucionar situaciones de este tipo?

Ampliación

5 Un test sobre el carácter

Lee este test, responde a las pregun-tas y mira las soluciones. ¿Cómo eres? ¿Estás de acuerdo?

¿Eres independiente?

1. Estás buscando una dirección en una ciudad muy grande y te pierdes.
a. Consultas el mapa y encuentras el sitio tú mismo.
b. Preguntas a un policía.
c. Te pones nervioso.

2. ¿Cómo es tu pareja ideal?
a. Una persona aventurera y amante de los viajes.
b. Es muy romántica y siempre se ocupa de ti.
c. Debe tener mucha iniciativa.

3. Un domingo te levantas antes que tus padres y tienes mucha hambre.
a. Te preparas un desayuno completo.
b. Despiertas a tus padres y les pides el desayuno.
c. Tomas un vaso de leche y unas galletas.

4. Cuando vas de excursión o de viaje, ¿quién te prepara la mochila?
a. Tú mismo.
b. Tu madre.
c. Entre los dos.

5. Cuando tienes un problema...
a. Buscas tú la solución.
b. Pides ayuda a tus amigos.
c. Primero buscas la solución y, si no la encuentras, hablas con tus padres.

SOLUCIONES:
- **Mayoría de respuestas a:** eres independiente y ma-duro. Tienes confianza en ti mismo y sabes lo que quieres. Puedes salir de muchos problemas tú solo.
- **Mayoría de respuestas b:** aunque necesitas mucho a los demás, eres muy independiente.
- **Mayoría de respuestas c:** no eres totalmente inde-pendiente. Todavía no te sientes seguro en todo lo que haces, pero es lógico, teniendo en cuenta tu edad.

SER	ESTAR
Describir personas: - Por su carácter. - Por su nacionalidad y origen.	- Hablar de estados físicos y emocionales. - Localizar en el espacio. - *Estar* + gerundio.

Algunos adjetivos cambian de significado si se utilizan con **ser** o con **estar**.

Ser inteligente *José es muy listo.*	= Listo =	**Estar preparado** *¿Ya estás listo?*
Tener mucho dinero *Mi tío es muy rico.*	= Rico =	**Estar deliciosa una comida** *Este pastel está muy rico.*
Tener mal carácter *Fredy Kruger es malo.*	= Malo =	**Tener mal sabor** *Esta comida está muy mala.*
No gustar *Este libro es muy aburrido, no lo leas.*	= Aburrido =	**No divertirse** *Alicia está aburrida.*
Ser tolerante *Sara es muy abierta.*	= Abierto =	**No estar cerrado** *La puerta está abierta. Ciérrala.*
Ser de color blanco *Mi moto es blanca.*	= Blanco =	**Estar pálido** *Alicia está blanca. ¿Qué le pasa?*

Recuerda

6 Dos amigos se hacen el test

Escucha el diálogo y toma nota de las respuestas. ¿Cómo es el chico?

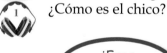
¿Eres independiente?

Yo creo que sí.

Taller creativo ▶ Tu cuento fantástico

7 Haz estas actividades:

1. Describe al rey de Babilonia con los adjetivos del texto o los contrarios.
2. Describe al rey de Arabia.
3. ¿Cuál crees que es la moraleja del cuento?
4. Escribe un cuento que ejemplifique un mal comportamiento.

lección

2

los jóvenes de hoy

Lee estos titulares sobre los jóvenes del siglo XXI.
¿Estás de acuerdo?

 Una reportera está haciendo una investigación sobre los jóvenes. Les hace una entrevista a los amigos y estos responden a unas preguntas sobre sus intereses.

Los jóvenes cada vez más independientes y despreocupados.

Los jóvenes del siglo XXI, menos políticos y más ecológicos.

No les interesa nada.

Únicas preocupaciones: el dinero y el amor.

EXPRESAR LA OPINIÓN	**ACUERDO**	**DESACUERDO**
• Yo creo / pienso / opino que...	• Estoy de acuerdo con...	• No estoy de acuerdo con...
• A mí me parece que...	• Es verdad / cierto.	• Creo que no es verdad.
• Estoy convencido de que...	• Opino lo mismo.	• Es falso. / No es cierto.

1 La encuesta.

Escucha la conversación y marca las respuestas.

¿QUÉ LES INTERESA?
El deporte ☐
La música ☐
El cine ☐
Las motos ☐
La naturaleza ☐
Los videojuegos ☐
La política ☐
La moda ☐
La ciencia ☐
Los extraterrestres ☐
La religión ☐

¿QUÉ LES PREOCUPA?
La violencia ☐
El medioambiente ☐
El paro ☐
La investigación genética ☐
El futuro ☐
La injusticia ☐

¿CUÁLES SON SUS SUEÑOS PARA EL FUTURO?
Tener un trabajo interesante ☐
Viajar ☐
Conocer a personas interesantes ☐
Ganar mucho dinero ☐
Vivir en otro país ☐
Jugar en un equipo profesional ☐

Práctica

EXPRESAR SENTIMIENTOS

Me pone **triste / nervioso(a)**			
Me da **miedo / pena**	+	Singular	el **deporte** / la naturaleza.
Me interesa / preocupa / molesta		Infinitivo	**viajar** / leer novelas.
Me divierte			**vivir** en el campo.
No soporto			
Me ponen **triste / nervioso(a)**			
Me dan **miedo / pena**	+	Plural	los viajes / las películas
Me interesan / preocupan / molestan			de terror.
Me divierten			
No soporto			

2 Los intereses de los jóvenes.
Relaciona y forma el máximo número de frases.

Me interesa la ecología.

Relaciona

1. Me interesa(n)
2. Me preocupa(n)
3. Me da(n) miedo
4. Me molesta(n)
5. Me alegra(n)
6. Me pone(n) nervioso/a
7. Me divierte(n)

a. la ecología.
b. viajar.
c. la música muy alta.
d. las películas de terror.
e. las tormentas.
f. las fiestas.
g. los exámenes.
h. hablar en público.
i. el ruido.
j. el cine.
k. los problemas sociales.

3 ¿Y tú?
Habla de tus sentimientos.

A mí me molesta mucho el ruido cuando estoy estudiando.

4 A mí me gusta mucho...
Aquí tienes algunas de las palabras y expresiones que usan. ¿Quién las dice? Escucha de nuevo la entrevista y marca las casillas.

	♂	♀
1. A mí me gustan mucho...	☐	☐
2. Me interesa...	☐	☐
3. Me encanta...	☐	☐
4. Me divierte...	☐	☐
5. ¿Que qué me preocupa? Pues...	☐	☐
6. Me molesta mucho lo que...	☐	☐
7. No soporto...	☐	☐
8. Me preocupa...	☐	☐
9. Me da miedo...	☐	☐

conversación
Los intereses de tus compañeros.

5 Haz la encuesta a tu compañero y anota sus respuestas.

Profundiza

1 **Para ti estos adjetivos, ¿son positivos o negativos?**

a. Clasifícalos.

Positivo

Simpático(a), tímido(a), callado(a), goloso(a), tranquilo(a), travieso(a), cariñoso(a), tonto(a), generoso(a), gracioso(a), abierto(a), vago(a), orgulloso(a), testarudo(a), nervioso(a), sincero(a), aburrido(a), atento(a), envidioso(a), educado(a), desordenado(a), serio(a), mentiroso(a), tacaño(a), alegre, inteligente, sociable, paciente, egoísta, bromista, parlanchín(ina), trabajador(a).

Negativo

b. Escribe cuatro adjetivos y sus contrarios.

Ordenado / Desordenado

2 **Isabel es una joven adolescente. Cinco personas la describen.**

Escucha y toma nota de los adjetivos que utiliza cada uno.

Nunca comparte sus cosas y está todo el día hablando por teléfono con Matilde.

Su hermano

Soy su mejor amiga.

Matilde

Soy su ex novio.

Borja

Isabel siempre saca buenas notas.

Su profesor

No hace nada en casa.

Su madre

3 **¿Qué significan las expresiones en negrita?**

Relaciona.

Relaciona

1. Este niño **es muy malo**: nunca hace lo que le dices.
2. Nos marchamos: si no **estás lista**, te quedas en casa.
3. El supermercado **está abierto** hasta las 21:00.
4. La nieve **es blanca**.
5. La película **es muy aburrida**: no tiene nada de acción.
6. Ha sido una cena estupenda. Todo **estaba riquísimo**.
7. Hoy **estoy aburrido**, no sé qué hacer.
8. No se encuentra bien: **está muy blanco**.
9. ¡**Qué listo es**! Se lo aprende todo a la primera.
10. Tus padres **son muy abiertos**, casi nunca se enfadan.
11. ¡**Qué mala está** la sopa! No tiene sabor.
12. Le tocó la lotería y ahora **es muy rico**.

a. Estar pálido
b. Tener mucho dinero
c. No divertirse
d. Ser tolerante
e. Estar delicioso (comida)
f. No gustar
g. Estar preparado
h. Tener mal sabor
i. Tener mal carácter
j. No estar cerrado
k. Ser de color blanco
l. Ser inteligente

Acción

Adaptado de www.cis.es

a. Las preocupaciones de los jóvenes.

Mira los resultados de esta encuesta sobre las preocupaciones de los jóvenes y haz un pequeño informe.

Haces un informe sobre tu clase

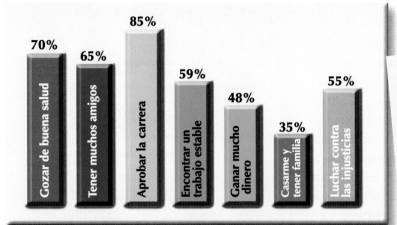

- 70% Gozar de buena salud
- 65% Tener muchos amigos
- 85% Aprobar la carrera
- 59% Encontrar un trabajo estable
- 48% Ganar mucho dinero
- 35% Casarme y tener familia
- 55% Luchar contra las injusticias

FRASES ÚTILES

Según los resultados de la encuesta...

Al...% de los jóvenes les preocupa / interesa...

... es una de sus principales aspiraciones.

Un...% opina / considera que... es muy importante.

La mayor preocupación es...

En segundo lugar, ...

Y, para finalizar, el punto de menos interés es...

b. Y tú, ¿qué opinas?

Expresa tu opinión.

Para ayudarte

Yo creo que es verdad que...

Yo no estoy de acuerdo con... Creo que...

A mí me parece que no es así.

c. Las preocupaciones de tus compañeros.

Haz la encuesta. Escribe los nombres de tus compañeros en el cuadro y marca sus respuestas.

¿Cuáles son tus tres principales objetivos para el futuro?

Gozar de buena salud			
Tener muchos amigos			
Ir a la universidad			
Encontrar un trabajo estable			
Ganar mucho dinero			
Casarme y tener una familia			
Luchar contra las injusticias			

Acción

Presenta los resultados a la clase.

Los tres objetivos de mi grupo para el futuro son: en primer lugar..., luego... y, por último, ...

Descubre

▶▶ Cómo son los *argentos*

• Los chistes que se cuentan en distintos países del mundo retratan al argentino como fanfarrón, chanta –irresponsable que no cumple con sus obligaciones y dice conocer lo que no conoce– y empobrecido. La primera cualidad tiene que ver probablemente con el tono «gritón» de la variedad rioplatense y la forma de ser desinhibida, los gestos exagerados, casi teatrales. Y aunque estos chistes ofrecen un «estereotipo», una caricatura, que «deforma» el modelo original. Los mismos argentinos se reconocen orgullosos de su país cuando hablan de sus paisajes o del fútbol: casi todos los argentinos creen que el fútbol nacional es el mejor del mundo. Y que no existe un jugador mejor que Diego Armando Maradona.

• En los últimos años, por otra parte, los argentinos han aprendido a reírse de sí mismos, a través de campañas publicitarias, de programas político-humorísticos, de libros y publicaciones en torno a la identidad argentina. Los *argentos* dicen ser pasionales, nostálgicos, ambiciosos y soñadores. Señala Martín Caparrós en *El Interior*: «La bandera argentina no es verde o parda como sus tierras, marrón como sus grandes ríos. Hay un país cuyo color está en el cielo –siempre un poco más allá, como el horizonte, como el Dorado– y no en la tierra. La gran promesa siempre».

¡Yo argentino!

Es muy común escuchar esta frase en Argentina, que funciona como «yo no fui» o «yo no tuve nada que ver». La expresión tiene su historia: cuando estalló la Primera Guerra Mundial, Argentina se declaró neutral. Muchos intelectuales y artistas se encontraban en Europa y, según parece –tal como se difundió en los teatros de revista más tarde–, cuando alguna autoridad de los bandos en pugna los detenía, ellos mostraban su pasaporte y decían: «Yo, argentino» o sea: «No me metan en el lío, que yo no tengo nada que ver con el asunto».

▶▶ La variedad lingüística rioplatense

• La lengua oficial de la República Argentina es el español. Sin embargo, en algunas regiones se hablan otras lenguas, originarias de distintos grupos indígenas, como el guaraní, el quechua, el toba y el mapuche. En algunas zonas hay incluso programas educativos multiculturales bilingües.

• Aunque en Argentina hay distintas variedades lingüísticas del español, la variante rioplatense es la más conocida por la música, la literatura, el deporte y la inmigración. No es raro, entonces, que en el resto del mundo se crea que «así hablan todos los argentinos». Sin embargo, esta variedad se usa solo en los alrededores del Río de La Plata, más particularmente en Buenos Aires y en Uruguay.

▶▶ Principales características del español rioplatense

• Pronuncia la *ll* y la *y* como ([ʎ]) [ʒ] o [ʃ].

• Utiliza el *vos* para designar al interlocutor. Se emplea en contextos familiares o de confianza. Su uso es comparable a la forma *tú* que se utiliza en España y en casi todos los países de América Latina.

• Los verbos, como consecuencia del voseo, tienen formas particulares. En general, podemos establecer como regla que, para formar el voseo, se tiene en cuenta la forma *vosotros* suprimiéndole la *i* (ver cuadro).

Verbo	Tú	Vosotros	Vos
hablar	hablas	habláis	hablás
comer	comes	coméis	comés
poder	puedes	podéis	podés
vivir	vives	vivís	vivís
venir	vienes	venís	venís
ser	eres	sois	sos
hacer	haces	hacéis	hacés
ir	vas	vais	vas

[Pluricul turalidad]

- ¿Cuál es el estereotipo de las personas de tu país?
- ¿Cómo los puedes definir?
- ¿Cuántas lenguas se hablan en tu país?
- ¿Hay algún dialecto?

Presentación

La República de Honduras está situada en Centroamérica, entre Guatemala, El Salvador y Nicaragua. Debido a su situación, está bañada al este por el mar Caribe y al oeste, por el océano Pacífico. Tiene una superficie de 112.000 km² y 5.997.000 habitantes. La mayoría de los hondureños son mestizos.

El español es la lengua oficial de Honduras. También se habla inglés y algunos dialectos.

La capital es Tegucigalpa, una bonita ciudad rodeada de altas montañas. Según algunos documentos históricos, fue fundada el 29 de septiembre de 1578 en el lugar conocido como «Teguzgalpa». Otras ciudades importantes son: Trujillo, La Ceiba, Copán y San Pedro de Sula.

Geográficamente, la cordillera centroamericana atraviesa de noroeste a sudeste el país, dividiéndolo en dos grandes regiones, la oriental y la occidental, con alturas que sobrepasan los 2.000 metros. Entre los ramales de la cordillera existen valles fértiles y sabanas donde se concentra gran parte de la población. Además, hay costas en el Caribe, una llanura a lo largo de las costas del Pacífico y, en el Golfo de Fonseca, un gran número de islas con volcanes.

En Honduras hay dos estaciones: la estación seca, que va de noviembre a abril, y la estación húmeda, de mayo a octubre.

La República de Honduras alberga una gran diversidad de ecosistemas, hábitat natural de una flora rica y variada: hay más de 7.500 especies de plantas y árboles como el pino, la encina, la palmera, la caoba, o la ceiba, el árbol sagrado de los mayas. La flor nacional es la orquídea. Su fauna es muy variada y rica también: existen más de 200 especies de mamíferos, 100 especies de anfibios y reptiles, y más de 700 especies de aves.

En su origen, Honduras fue considerada una «república bananera»: era la mayor exportadora del mundo de esta fruta. Actualmente, los plátanos se siguen exportando mucho, pero es el café la mayor fuente de ingresos.

Lempira.

Vista panorámica.
TEGUCIGALPA.

Ruinas.
COPÁN.

LA CEIBA.

Vivienda en la selva.

Catedral.
TEGUCIGALPA.

Monumento a la Paz.
TEGUCIGALPA.

Vista aérea.
TRUJILLO.

Puerto.
LA CEIBA.

Parque central.
COPÁN.

Vista de la bahía.
TRUJILLO.

Mercado de bananas.

El mono.
COPÁN.

Catarata.
PULHAPANZAK.

Iglesia.
LA ESPERANZA.

Museo de la República.
TEGUCIGALPA.

Barrio colonial.
PESPIRE.

Cultivo de papa.
LA ESPERANZA.

Altar de la catedral.
TEGUCIGALPA.

Actividades

1 - Mira el mapa. ¿En qué mares está Honduras?
2 - ¿Qué países lo rodean?
3 - ¿Qué dos zonas tiene el país? ¿Qué les separa?
4 - ¿Qué idiomas se hablan?

5 - ¿Qué nacionalidad tienen sus habitantes?
6 - ¿Cuál es su clima? Explica cómo es.
7 - ¿Cuáles son sus cultivos principales?
8 - ¿Cuál es la capital?

Comunicación

Describir el carácter

Hablar de los demás

Dar la opinión y manifestar acuerdo y desacuerdo

Expresar sentimientos

Soy tranquilo.

Es divertido y generoso.

Un amigo tiene que ser amable. No debe mentir. No me importa su apariencia física.

Yo creo que los jóvenes tienen muchos intereses.

Yo opino lo mismo.

Pues yo no estoy de acuerdo.

Creo que a los jóvenes no solo les preocupa el dinero y el amor.

Sí, es verdad. Son ecologistas, se interesan por la cultura...

Me molesta la música muy alta.

Me divierte ver la tele.

Me ponen nervioso los exámenes.

Gramática

Adjetivos con significado diferente según se usen con *ser* o con *estar*

- Tenemos que estar listos a las 10.
- Los chicos son listos.
- El bocadillo de tortilla está muy rico.
- Los padres de Luis son ricos.
- Está muy buena la paella.
- Esta es una buena clase.

Adjetivos y sustantivos

- Respetuoso / respeto; sincero / sinceridad; paciente / paciencia; atento / atención.

La oración causal

- Me gustar reír, es que tengo sentido del humor y buen carácter.

La oración concesiva

- Parezco egoísta; sin embargo, soy generoso.

Verbos de sentimiento

- Interesar, preocupar, alegrar, molestar, divertir, poner triste, dar miedo...

▶ Adjetivos para describir

- abierto/a
- aburrido/a
- afrentado/a
- alegre
- atento/a
- aventurero/a
- blanco/a
- bromista
- callado/a
- cariñoso/a
- complejo/a
- confundido/a
- desordenado/a
- despreocupado/a
- digno/a
- ecológico/a
- educado/a
- egoísta
- envidioso/a
- fatigoso/a
- generoso/a
- goloso/a
- gracioso/a
- independiente
- inseguro/a
- inteligente
- maduro/a
- malo/a
- mentiroso/a
- nervioso/a
- orgulloso/a
- paciente
- parlanchín/-a
- prudente
- rico/a
- romántico/a
- seguro/a
- serio/a
- simpático/a
- sincero/a
- sociable
- sutil
- tacaño/a
- testarudo/a
- tímido/a
- tonto/a
- trabajador/-a
- tranquilo/a
- travieso/a
- triste
- vago/a
- veloz
- venturoso/a

▶ Sustantivos

- el alcaide
- el arquitecto
- el bronce
- la burla
- el camello
- el capitán
- el castillo
- la corte
- el desierto
- la escalera
- la fortuna
- la galería
- la gente
- el hambre
- el hombre
- el huésped
- la isla
- el laberinto
- el labio
- la ligadura
- el mago
- el muro
- la puerta
- la queja
- el reino
- el rey
- la sed
- la simplicidad
- el socorro
- el varón

▶ Verbos de sentimiento y reacción

- dar miedo / pena
- divertir
- encantar
- interesar
- molestar
- poner triste / nervioso
- preocupar
- soportar

1.

📖 COMPRENDO UN TEXTO ESCRITO: ARTÍCULOS SOBRE LOS JÓVENES.

Lee este informe sobre los jóvenes españoles y responde a las preguntas con verdadero o falso.

¿Cómo son los jóvenes españoles?

Entorno familiar, emancipación, economía, consumo, valores, participación y uso de tecnologías son algunas de las cuestiones que se reflejan en el *VI Informe Juventud en España*, el estudio sociológico sobre juventud más importante de nuestro país.

La población comprendida entre 15 y 29 años se estima en algo menos de la cuarta parte del total de la población española. Concretamente, el número de jóvenes es de 9.149.511, de los que 4.681.034 son varones y 4.468.477, mujeres.

Las composiciones familiares en las que viven los jóvenes están cambiando progresivamente. El porcentaje de personas jóvenes que ya no viven habitualmente en casa de sus padres o de otros familiares ha aumentado considerablemente en cuatro años, por efecto, sobre todo, del mayor número de jóvenes en el grupo de más edad (25 a 29 años).

Vivir de forma autónoma, independiente, se convierte poco a poco en una opción de salida del hogar familiar cada vez más válida y representativa de un nuevo modelo de hogar.

Los jóvenes españoles no manifiestan grandes preocupaciones vitales, aunque su grado de optimismo y felicidad ante la vida es alto. Las causas de la felicidad de la juventud española se deben, fundamentalmente, a la armonía de sus relaciones interpersonales con los amigos, la pareja y la familia.

	V	F
1. La población joven española es casi un 25% del total de la población.	☐	☐
2. Las familias siguen siendo tradicionales.	☐	☐
3. A los jóvenes no les interesa ser autónomos.	☐	☐
4. Son optimistas y están contentos con su vida.	☐	☐
5. Les preocupan mucho sus amigos y parejas.	☐	☐

2.

(3) 🎧 COMPRENDO UN TEXTO ORAL: DESCRIPCIÓN DE UNA PERSONA.

Unas personas hablan de una mujer. Marca los adjetivos que escuchas.

☐ Aburrida	☐ Educada	☐ Graciosa	☐ Ordenada	☐ Tímida
☐ Callada	☐ Egoísta	☐ Habladora	☐ Orgullosa	☐ Tonta
☐ Cariñosa	☐ Envidiosa	☐ Inteligente	☐ Parlanchina	☐ Trabajadora
☐ Desordenada	☐ Extrovertida	☐ Mentirosa	☐ Simpática	☐ Tranquila
☐ Divertida	☐ Generosa	☐ Nerviosa	☐ Sociable	☐ Traviesa

3.

📝 ESCRIBO: UN ANUCIO PARA HACER AMIGOS.

Escribe un anuncio y preséntate: ¿Cómo eres? ¿Qué tipo de persona te interesa conocer?

4.

💬 HABLO: DESCRÍBETE.

¿Cómo eres? Razona tu respuesta.

Divertido   RESPONSABLE   Romántico   Generoso   ORGULLOSO

Módulo 2

▶ los sueños y las relaciones personales

Creas el noticiero del instituto

▶ Eres capaz de...

Competencia pragmática

- ›› **Realizar una entrevista.**
- ›› **Indicar tus gustos e intereses.**
- ›› **Expresar deseos de difícil realización.**
- ›› **Formular preguntas indirectas.**
- ›› **Hablar de relaciones familiares.**
- ›› **Contar un problema.**
- ›› **Hacer propuestas y sugerir.**

▶ Aprendes...

Competencias lingüísticas

Competencia gramatical

- ›› **Preguntas indirectas.**
  Formas y usos del condicional.
  Expresiones de deseo en condicional.
  Verbos que expresan relaciones entre las personas (llevarse bien / mal, caerle bien / mal, etc.)
- ›› **Los adjetivos.**

▶ Conoces...

Competencia léxica

- ›› **Adjetivos para describir según los sentidos.**
- ›› **Estilos musicales.**
- ›› **Expresiones y verbos para valorar personas.**
- ›› **Secciones de un periódico.**

▶ Mundo hispano...

Conocimiento sociocultural

Descubre Argentina.
Presentación de República Dominicana.

Recomendamos la lectura 2, pág. 97.

lección

3

Un día con tu ídolo

AUDICIÓN

Todos tenemos ídolos, del cine, de la música, que nos gustaría conocer. Para muchos hispanos Ricky Martin es uno.

Antes de escuchar, lee esta biografía de Ricky Martin y responde a las preguntas.

Ricky Martin

De nombre Enrique Martín Morales, nació en San Juan de Puerto Rico el 24 de diciembre de 1971. A los 12 años empezó a cantar en el grupo *Menudo*. En 1989 se marchó a Nueva York y trabajó como modelo para pagarse sus estudios de teatro y canto. Un año después, grabó su primer disco y luego un álbum en portugués que tuvo un enorme éxito en Brasil. Desde entonces, ha recibido varios premios y realiza giras mundiales.
La Copa de la vida, canción oficial de la Copa del Mundo de Fútbol de Francia 98, fue número 1 en 30 países. Hasta la fecha, ha vendido más de 32 millones de álbumes.

¿En qué año empezó su carrera en solitario?

¿A qué profesiones se ha dedicado?

¿En qué año publicó su primer álbum?

¿En qué países canta ahora?

1 Una entrevista a Ricky Martin.

Escucha la entrevista y relaciona.

Relaciona

1. Acaba de terminar una gira
2. Su último disco ya está
3. Su disco tiene baladas
4. Empezó a cantar
5. En 1989
6. En 1999 interpretó
7. Recibió un Premio Grammy
8. Le gusta

a. empezó su carrera en solitario.
b. en todas las listas de ventas.
c. el contacto directo con el público.
d. por Latinoamérica.
e. la canción de la Copa del Mundo de fútbol.
f. a los 12 años.
g. por la mejor interpretación pop latina.
h. y canciones con ritmos latinos muy pegadizos.

2 Tus gustos musicales.

a. ¿Qué tipo de música te gusta? ¿Cuál es tu cantante o grupo favorito?
b. ¿Conoces a alguno de estos cantantes? ¿Qué sabes de ellos?

Práctica

EL CONDICIONAL

yo	cantar-	-ía
tú, vos		-ías
él, ella, usted	comer-	-ía
nosotros/as		-íamos
vosotros/as		-íais
ellos, ellas, ustedes	escribir-	-ían

3 Me gustaría...

Primero, completa con el condicional. Después, sigue la historia.

De tener dinero, _____ (salir) el fin de semana. De salir el fin de semana, _____ (ir) a bailar a la disco. De ir a bailar a la disco, _____ (conocer) a una chica. De conocer a una chica, le _____ (pedir) su número de teléfono. De pedirle el número de teléfono, la _____ (llamar) el domingo. De llamarla el domingo, _____ (quedar) con ella para ir al cine. De ir al cine...

4 ¿Tú qué harías?

¿Cómo se conjugan en condicional estos verbos irregulares?

poder	poner	querer	saber	salir	tener	venir

VERBOS IRREGULARES

decir	> dir-	-ía
hacer	> har-	-ías
poder	> podr-	-ía
poner	> pondr-	-íamos
salir	> saldr-	-íais
tener	> tendr-	-ían
venir	> vendr-	

conversación

Me gustaría conocer a...

5 **a.** ¿A qué personaje famoso te gustaría conocer personalmente? ¿Por qué? ¿Qué harías con él o ella? ¿Dónde irías? ¿De qué hablarías?

b. Imagina que has ganado el concurso «Un día con tu ídolo». ¿Qué te gustaría saber de él o de ella?

Y a mí...

A mí me gustaría saber si...

4 Tu mejor amigo

LECTURA Poema en prosa

Platero y yo *es una narración poética o un largo poema en prosa de Juan Ramón Jiménez, un escritor andaluz, premio Nobel de Literatura. En esta obra, la más conocida del autor, cuenta poéticamente la vida del burro Platero.*

1 Antes de leer

¿Cómo te imaginas al burro? ¿Qué relación crees que tiene el autor con el burro?

Platero y yo

1 Platero es pequeño, peludo, suave; tan blando por fuera, que se diría todo de algodón, que no lleva huesos. Solo los espejos de azabache de sus ojos son duros como dos escarabajos de cristal negro.

5 Lo dejo suelto, y se va al prado, y acaricia tibiamente con su hocico, rozándolas apenas, las florecillas rosas, celestes y amarillas... Lo llamo dulcemente: ¿Platero?, y viene a mí con un trotecillo alegre que parece que se ríe en no sé qué cascabeleo ideal...
Come cuanto le doy. Le gustan las naranjas mandarinas, las uvas

10 moscateles, todas de ámbar; los higos morados, con su cristalina gotita de miel...
Es tierno y mimoso igual que un niño, que una niña...; pero fuerte y seco por dentro, como de piedra. Cuando paso sobre él, los domingos, por las últimas callejas del pueblo, los hombres del campo,

15 vestidos de limpio y despaciosos, se quedan mirándolo:
—Tiene acero...
Tiene acero. Acero y plata de luna, al mismo tiempo.

las orejas

los ojos

el hocico

el pelo

el rabo

las patas

a. Haz una lista con las palabras nuevas del texto y busca su significado con la ayuda del contexto.

b. Escribe las palabras del texto relacionadas con los cinco sentidos.

• Vista:
• Oído:
• Olfato:
• Gusto:
• Tacto:

c. Relaciona los contrarios.

Relaciona

1. Suave	a. Negro
2. Tierno	b. Fuerte
3. Alegre	c. Áspero
4. Blanco	d. Antipático
5. Débil	e. Triste
6. Dulce	f. Amargo

3 Comprensión

a. Describe cómo es Platero.

• Su tamaño:
• Su color:
• Sus ojos:
• Cuando lo tocas:
• Su forma de andar (trotar):
• Su relación con el poeta:

Taller creativo ▶ Tu poema en prosa

4 Haz estas tres actividades:
1. ¿Te gustan los animales? ¿Tienes alguno?
2. Dicen que el perro es el mejor amigo del hombre. ¿Tú qué crees?
3. Escribe un texto parecido al de Juan Ramón Jiménez sobre un animal imaginario. Describe cómo sería, qué haría y cómo sería tu relación con él.

Profundiza

1 Los problemas con las personas.
Escucha y relaciona.

🎧 5
1. Quiere salir con una chica, pero le cuesta mucho hablar con ella.
2. Se enojaron y ahora le gustaría reconciliarse con su mejor amiga.
3. No se lleva bien con su hermana.
4. Cree que sus padres no la entienden.

Virginia

Matilde

2 ¿A quién va dirigido cada uno?
Escucha otra vez, lee los mensajes y complétalos.

🎧 5

Víctor   Rubén

Hablar de relaciones

Llevarse bien / mal con...
Irle bien / mal...
Tener problemas con...
No saber qué hacer...
Costarle mucho / poco...

a. En casi todas las familias hay problemas entre hermanos, sobre todo cuando tienen una gran diferencia de edad...

b. Todos los adolescentes piensan lo mismo. Yo que tú... Ya verás como poco a poco se soluciona.

c. Deberías hablar con ella... Ya verás como te perdona, pues eres su mejor amigo, ¿no?

d. Yo que tú después de clase... Así podrás observar sus reacciones, ver si tenéis muchas cosas en común y saber si le gustas de verdad.

3 En el programa de radio se usan estas expresiones para aconsejar a los chicos.
Relaciona.

Relaciona

Yo que tú •		• no enojarme con ella.
	Deberías	• hablar con ella.
	intentaría	• compartir las tareas.
(Yo) En tu lugar •	aprovecharía para	• a tomar algo.
	la invitaría	• pensar como ella.
	trataría de	• demostrarles que soy responsable.
Ø •		• ponerme en su lugar.

4 ¿Qué consejos darías a estas personas?
Haz frases.

Los fines de semana me aburro, no sé qué hacer.

Como no voy muy bien en mis estudios, mis padres me castigan los fines de semana.

Soy muy tímido y me cuesta hacer amigos.

Siempre llego tarde.

¡Qué cansado estoy!

Acción

a. El noticiero del instituto.
¿Qué nombre le pondrías?

El Noticiero del Instituto

Creas el noticiero del instituto

Para ayudarte

Podríamos llamarlo...
A mí me gustaría llamarlo...

b. ¿Qué secciones ponemos?
¿Cuáles serían las secciones?

Ciencia y tecnología
Cartelera de cine

Consultorio
Países del mundo

Moda
Ecología
Entrevistas

Ocio
Recetas de cocina

Internet
Música
Pasatiempos

Deporte
Cómic
Actualidad del instituto

Para ayudarte

Yo elegiría las siguientes secciones: ...
Yo escogería...
Pues yo pienso que quedaría bien una sección dedicada a...
Y yo pondría siete secciones: ...
Creo que tendría que haber una sección relacionada con...

La primera sección sobre ecología debería estar dedicada a la deforestación.

Acción

Forma un grupo de redacción, selecciona la primera página de los periódicos de esta semana y busca las noticias más importantes. Discute con tus compañeros cuáles se introducen y forma con ellos el periódico de tu clase.

Descubre

▶▶ El mate

• El mate es una infusión de yerba que se toma con una bombilla. El vocablo proviene del quechua, «mati», que significa «recipiente para beber». Hay una voz guaraní, sin embargo, mucho más precisa, que no derivó en vocablo de nuestro idioma: «caiguá», cuyo significado es «recipiente para el agua de la yerba». Los indígenas lo consumían ya mucho antes de la colonización; entonces lo tomaban sin bombilla y colocaban la yerba dentro de una media calabaza: con el labio superior retenían la yerba para no llevársela a la boca y sorbían a través de los dientes delanteros, que les servían como filtro. Ya cuando el mate se empezó a tomar en las casas de familia más adineradas, después de la conquista, se colocaba dentro de la media calabaza –generalmente revestida en plata– otro recipiente con agujeros que filtraba las impurezas de la yerba. A mediados del siglo XIX se reemplazó el vaso de plata por una bombilla de igual material, la que con algunos cambios propios del progreso se usa también en nuestros días. Cabe destacar que los gauchos con menos probabilidades que sus patrones ricos usaron el ingenio para hacerse también de una bombilla: el canuto de una caña con un filtro hecho con los filamentos de esta y cerdas de caballo, cumplieron el mismo fin.

• Hoy en día, si bien la calabaza sigue siendo para los entendidos el «verdadero» mate, existen muchísimas variedades: de astas vacunas, forrados en cuero, tallados en madera, recubiertos de oro y/o plata, de loza, de porcelana, etc.

La función social del mate: el ritual de la amistad

En todas las casas de Argentina hay yerba. El mate siempre se toma entre amigos, entre compañeros de trabajo, entre familiares, incluso hay quien se anima a tomar mate con desconocidos. La bombilla se comparte, a veces se limpia la punta con un repasador, a veces no. Se genera una intimidad entre quienes lo comparten y todos los argentinos– aun aquellos que no toman mate– lo reconocen como parte de su identidad nacional.

Pluricul turalidad

- ¿Cuál es la comida o la bebida más típica de tu país? ¿Cuáles son sus ingredientes? ¿Cuál es su origen? ¿Cuándo se toma?
- ¿Qué se come y bebe en las festividades especiales? ¿Existe un plato o una bebida característica para algunos momentos especiales?
- ¿Cuál es tu comida o bebida favorita?

Argentina

▶▶ ## El glosario del mate y su ritual

Cebar: echarle agua a la yerba del mate.

Cebador: persona que se encarga de cebar el mate.

Gracias: se dice cuando se acepta el último mate, para que quien esté cebando no vuelva a ofrecer otro.

Mate cimarrón: mate amargo, sin azúcar.

Mate de don Zoilo: el que se toma solo.

Mate de la Ruperta: el primer mate que se ceba, el más amargo de todos.

Mate del estribo: cuando quien ceba ofrece el último mate.

Mate dulce: el que se prepara con azúcar.

Matera: en las estancias, lugar donde se reúnen los gauchos para tomar mate.

Pava: recipiente de metal con asa en la parte superior, tapa y pico, que se usa para calentar agua.

Tereré: mate frío, servido con limón o naranja.

Yerbera: recipiente para colocar la yerba, generalmente viene unido a una azucarera.

Yerbera

Pava

Bombillas

Océano Atlántico

• Puerto Plata

REPÚBLICA DOMINICANA

HAITÍ

• Santiago

• San Juan • Monte Plata

• Santo Domingo

• La Romana

• Isla Saona

• Barahona Mar Caribe

• Cabo Beata

Peso.

Vista panorámica.
SANTO DOMINGO.

Palacio Nacional.
SANTO DOMINGO.

Presentación

Colón descubrió la República Dominicana en 1492 durante su primer viaje y la llamó «La Española», nombre actual de la isla en la que se encuentra la República Dominicana y otro país, Haití. La República Dominicana es la segunda nación más grande del Caribe: ocupa 48.730 km². Las islas de Beata y Saona también forman parte de ella.

Los dominicanos son 8.130.000. Una gran parte de la población es mulata, pero también hay descendientes de europeos y africanos. Aproximadamente la mitad de la población vive en zonas rurales.

La capital es Santo Domingo, la ciudad más antigua del Nuevo Mundo. La UNESCO la proclamó «Herencia Cultural del Mundo». Otras ciudades importantes son: Santiago, La Vega, San Pedro de Mocoris, Barahona o La Romana.

En la República Dominicana el idioma oficial es el español, aunque también se habla el criollo. Su moneda es el peso dominicano.

Tiene una gran variedad de paisajes: tierras bajas y fértiles, bonitos valles y llanos costeros. Sin embargo, lo que predomina es el paisaje montañoso, ya que hay tres cordilleras importantes. Además, hay 16 parques naturales que ocupan un 10% de la superficie del país. Es por esto que la vida salvaje y la vegetación son muy ricas. Las costas también son muy importantes por sus especies marinas. Por ejemplo, en el mar de Samaná el 80% de las ballenas jorobadas del mundo vienen para descansar.

El clima predominante en la República Dominicana es el tropical. La temperatura media es de 25 ºC, si bien, debido a que el terreno es muy montañoso, hay grandes variaciones en las temperaturas y en las lluvias. El mes más frío es enero y el más caluroso, agosto.

La economía dominicana se basa en el turismo. También es muy importante la actividad económica en los puertos, donde se encuentran las principales empresas comerciales internacionales.

Playa limón.
MINCHE.

Calle Arzobispo Meriño.
SANTO DOMINGO.

Cordillera Central.

Niño pescando.
ISLA SAONA.

Mercado.
BARAHONA.

Puesto ambulante.
MONTE PLATA.

Península de Samaná.
SAMANÁ.

Vista de la playa.
PLAYA BAVARO.

Barrio colonial.
SANTO DOMINGO.

Estatua del Patrón Santiago.
SANTIAGO.

Vista de la ciudad.
SANTIAGO.

Playa.
ISLA SAONA.

Puente Juan Bosch.
SANTO DOMINGO.

Piscina natural.
PUNTA CANA.

Barca en la playa.
BARAHONA.

Isla Cayo Levantado.
SAMANA.

Actividades

1 - ¿Cómo se llama la isla donde está la República Dominicana?
2 - ¿Qué otras islas tiene?
3 - ¿Con qué país comparte isla?
4 - ¿Cuáles son sus actividades económicas más importantes?

5 - ¿ Qué nacionalidad tienen sus habitantes?
6 - ¿Cuál es su clima? Explica cómo es.
7 - ¿Qué idiomas se hablan?
8 - ¿Cuál es la capital?

Comunicación

Formular preguntas indirectas

Contar un problema

Solicitar y dar consejos

Expresar deseos

Hacer propuestas, sugerir

Me gustaría saber cómo se titula el último disco de Ricky Martin.

No me llevo bien con mi hermano.

Me cuesta estudiar después de clase.

¿Qué harías en mi situación?

Yo que tú estudiaría más. Deberías hacer esquemas.

Me gustaría ir a casa de Pedro.

Podríamos escribir un artículo sobre la naturaleza.

También tendríamos que poner reportajes.

Gramática

Preguntas indirectas

• Me gustaría / Quiero saber dónde / cómo / cuándo / qué / cuál es...

El condicional

▸ Verbos regulares   hablar > hablaría, comer > comería, vivir > viviría.

▸ Verbos irregulares   decir > diría, hacer > haría, poder > podría, poner > pondría, querer > querría, saber > sabría, tener > tendría...

Verbos que muestran las relaciones entre las personas

• Llevarse bien / mal con...
• Irle bien / mal...
• Tener problemas con...
• Costarle mucho / poco...

Vocabulario

▶ Los estilos de música

- la música clásica
- la música *dance*
- la música latina
- el pop
- el *reggae*
- el *rock*
- el *techno*

▶ Los sustantivos

- el acero
- el algodón
- el ámbar
- la calleja
- el campo
- el cristal
- el escarabajo
- el espejo
- el gusto
- el higo
- el hocico
- el hueso
- el ídolo
- la mandarina
- la miel
- la naranja
- el oído
- el olfato
- la piedra
- el prado
- el pueblo
- el tacto
- el trote
- la uva
- la vista

▶ Los verbos

- acariciar
- costarle mucho / poco
- irle bien / mal
- limpiar
- llevarse bien / mal
- reír
- rozar
- tener problemas con

▶ Los adjetivos

- alegre
- blando/a
- celeste
- cristalino/a
- dulce
- duro/a
- fuerte
- mimoso/a
- morado/a
- peludo/a
- seco/a
- suave
- tibio/a
- tierno/a

Evalúa tus conocimientos.

1. COMPRENDO UN TEXTO ESCRITO: RELACIONES ENTRE PADRES E HIJOS.

☐ mal
☐ regular
☐ bien
☐ muy bien

Lee este texto y responde a las preguntas.

Los problemas entre padres e hijos

El siguiente escrito intenta aportar ideas que guíen una buena relación entre padres e hijos y va dirigido principalmente a aquellos padres que tienen dificultades para que las cosas vayan bien:

1. Padres e hijos no son iguales en todos los aspectos. La natural dependencia del niño en relación con la seguridad, el apoyo y la alimentación otorga a los padres una responsabilidad natural sobre amplias áreas de la vida del niño.
2. Los padres que castigan a los niños que no se comportan como se espera de ellos no son «malos padres». El castigo solo es malo cuando no sirve para cambiar el comportamiento de un niño o cuando acarrea consecuencias no deseadas para el niño.
3. Los padres promueven el sentido de la seguridad en los niños cuando dicen exactamente lo que pretenden, cuando lo dicen claramente y cuando son coherentes y predecibles en su comportamiento.
4. Un niño puede desarrollar su sentido de la responsabilidad solo cuando se le considera responsable de sus actos. Este sentido de la responsabilidad puede y debe ser enseñado por los padres.
5. La autoridad paterna no tiene que ejercerse de manera abusiva, mezquina, dura o dañina para el niño. No obstante, la autoridad corresponde a los padres.

La mayor parte de las dificultades entre padres e hijos surgen de la lucha que se establece por disponer de poder y control. Los padres deben saber cómo ganar esta batalla cuando sea necesario, de modo que puedan otorgar poder a sus hijos cuando sea más aconsejable.

Las claves para resolver la mayoría de las dificultades que los padres tienen con sus hijos consisten en establecer unas normas, marcar las consecuencias que se derivan de la ruptura de esas normas y utilizar una disciplina coherente.

1. Según el texto, ¿por qué surgen los problemas entre padres e hijos?
2. ¿Qué tres cosas fundamentales tienen que hacer los padres con respecto a la educación de sus hijos?
3. ¿Estás de acuerdo con lo que dice el texto? ¿Por qué?

2. ⑤ COMPRENDO UN TEXTO ORAL: LOS PROBLEMAS DE LOS JÓVENES.

☐ mal
☐ regular
☐ bien
☐ muy bien

Escucha a estos cuatro jóvenes y relaciona a cada uno con su problema.
Después escribe una frase indicando el problema de cada uno.

1. Víctor   a. No se lleva bien con su hermana.
2. Virginia   b. Tiene problemas con sus padres.
3. Rubén   c. No sabe qué hacer con su mejor amiga.
4. Matilde   d. Le cuesta mucho hacer nuevos amigos.

3. ESCRIBO: MI RELACIÓN CON LOS DEMÁS.

☐ mal
☐ regular
☐ bien
☐ muy bien

Describe las relaciones que tienes con tus amigos y con tus compañeros de clase.
¿Con quién te llevas bien o mal? ¿Por qué?

4. HABLO: DOY CONSEJOS.

☐ mal
☐ regular
☐ bien
☐ muy bien

Un amigo tuyo extranjero ha llegado a tu ciudad. Dale consejos y completa el diálogo.

- Durante la semana, mientras tú estás en clase, no sé qué hacer.
- ....
- ¿Y dónde puedo ir para hacer deporte y ejercicio?
- ....
- ¿Y qué me recomiendas para conocer a gente nueva?
- ....
- ¿Dónde me aconsejas ir por las tardes?
- ....

Módulo 3

▶ la naturaleza y la ecología

Conoces las peculiaridades de los países hispanos

Competencia pragmática

▶ Eres capaz de...

- ›› **Hablar de la naturaleza.**
- ›› **Describir lugares y paisajes.**
- ›› **Relacionar acontecimientos.**
- ›› **Comparar.**
- ›› **Responder con diferentes grados de seguridad.**
- ›› **Expresar ignorancia.**
- ›› **Mostrar acuerdo y desacuerdo.**
- ›› **Hacer recomendaciones y poner condiciones.**

Competencias lingüísticas

Competencia gramatical

▶ Aprendes...

- ›› **Los pronombres relativos con y sin preposición.**
- ›› **Los comparativos y superlativos.**
- ›› **La oración condicional real.**
- ›› **Forma y usos del futuro.**
- ›› **Verbos de obligación, necesidad y posibilidad con infinitivo.**

Competencia léxica

▶ Conoces...

- ›› **Paisajes naturales.**
- ›› **Ecología y naturaleza.**

Conocimiento sociocultural

▶ Mundo hispano...

Descubre Argentina.
Presentación de Filipinas y Guinea Ecuatorial.

Recomendamos la lectura 3, pág. 99.

El día de la Tierra

LECTURA Texto periodístico

Desde 1970, cada 22 de abril se celebra en todo el mundo el día de la Tierra.

Miles de ciudadanos se unen en la celebración del día de la Tierra

Las últimas cumbres internacionales sobre el desarrollo sostenible y los debates sobre la ecología están dando sus primeros resultados. Este año se celebra de nuevo el día de la Tierra, con una participación de ciudades muy superior a los años anteriores.

Según la Comisaría Europea de Medioambiente, «las últimas catástrofes climatológicas nos recuerdan que es necesario tomar decisiones rápidas». Por eso gobiernos de diferentes países y, en especial, de algunas ciudades se han propuesto concienciar a los ciudadanos en este día de la Tierra de que hay que dejar el coche, y de que es urgente actuar en defensa de la naturaleza. En España la mayoría de las ciudades se suman a esta iniciativa, que significa un día sin coches, la realización de programas para fomentar el uso de la bicicleta y otros vehículos no contaminantes, el transporte público y los espacios para caminar. Un enemigo fundamental del desarrollo sostenible es el tráfico de autos privados, responsable de casi la cuarta parte de CO_2, el principal gas del efecto invernadero.

También en las escuelas públicas se celebrarán debates entre los estudiantes para buscar pequeñas soluciones y tomar conciencia del problema.

1 Vocabulario

a. Haz una lista con las palabras nuevas del texto y busca su significado en el diccionario o con la ayuda del contexto.

b. Copia en tu cuaderno todas las palabras relacionadas con la ecología y con los problemas ecológicos.

2 Comprensión

a. Completa las frases.

1. Las últimas catástrofes climatológicas nos recuerdan que...

2. Las autoridades se han propuesto concienciar a los ciudadanos de que...

3. En las escuelas públicas se celebrarán debates para...

3 Análisis

Haz un resumen de las tres ideas principales del texto.

Ampliación

4 Tener una conciencia ecológica

a. Completa las frases con los verbos de la lista.

usar	ir	tirar	poner
echarlas	apagar	separar	tirar

- Es importante .... los residuos:
  - En la clase se deben .... las hojas de papel por las dos caras antes de .... a la papelera.
  - En el comedor hay que .... las botellas vacías en el contenedor de vidrio.
  - En el patio se pueden .... diversos contenedores para reciclar papel, restos de alimentos, cristal, etc.
- No se deben .... las pilas a la papelera del aula.
- Para ahorrar energía hay que .... las luces de la clase antes de salir.
- Es conveniente .... al instituto en bicicleta, porque no contamina.

b. ¿Se te ocurren otras medidas para mejorar el medioambiente? Haz recomendaciones en tu cuaderno.

Recuerda

HACER RECOMENDACIONES

Expresar necesidad u obligación

Hay que

Es necesario   + infinitivo

Es importante

Se debe(n)

Presentar una solución posible

Se puede(n)

Es conveniente + infinitivo

Está bien

Taller creativo ▶ Tu texto periodístico

5 Responde a estas preguntas:

1. ¿Te preocupan los problemas del medioambiente? ¿Te consideras una persona ecológica? ¿Qué asocias con la palabra «ecología»?

Proteger las especies en peligro.	☐	Prohibir la tala de árboles.	☐
Usar energías limpias.	☐	Proteger los mares y océanos.	☐
Combatir la contaminación del aire.	☐	Otros:	☐

2. ¿Qué te parecen estas actividades para mejorar el medioambiente? ¿Aceptarías participar en alguna? ¿En cuál?

Participar en una campaña de recogida de vidrio.

Plantar árboles en campos despoblados.

Reciclar el papel.

Colaborar en tareas de limpieza de parques y jardines.

Utilizar la bicicleta para moverte en la ciudad.

3. Habla con tus compañeros y decide con ellos qué podéis hacer para mejorar el medioambiente. Después, escribe un texto periodístico sobre lo que proponéis hacer.

lección

6

Una excursión del instituto

Antes de escuchar, lee este texto. ¿Qué tipo de documento es? ¿A qué lugar hace referencia? ¿De qué habla?

▶ Natalia Moreno es profesora de Ciencias sociales y quiere organizar una excursión a Doñana.

ASOCIACIÓN DE LOS AMIGOS DE LA NATURALEZA DE ANDALUCÍA

Organizamos visitas al Parque Natural de Doñana en las que pueden participar todos los institutos.

Conoce los animales que viven en las lagunas: ciervos, linces, gamos, jabalíes...

Contempla el águila imperial y el lince ibérico, dos animales que están en peligro de extinción.

Pasea por los bosques en los que viven cigüeñas.

Descubre las dunas que se mueven por el empuje del viento.

Declarado Reserva de la Biosfera por la **UNESCO**.

1 La conversación de la profesora.

Escucha el diálogo y marca verdadero (V) o falso (F).

	V	F
1. En Doñana hay varios tipos de paisajes.	☐	☐
2. Algunas aves migratorias pasan el invierno en Doñana.	☐	☐
3. El lince ibérico es un animal en peligro de extinción.	☐	☐
4. Los estudiantes podrán visitar el Parque solos.	☐	☐
5. La Asociación solo propone excursiones a pie.	☐	☐

2 El Parque de Doñana.

Escucha otra vez y relaciona.

Relaciona

1. Quería saber las actividades...
2. Allí podrán ver las aves migratorias...
3. Tendrá la oportunidad de ver el lince ibérico...
4. Los monitores con quienes estarán sus estudiantes...
5. Les mostrarán lugares interesantes...
6. Doñana es un Parque muy grande...
7. Yo le recomiendo la ruta 1...

a. con la que recorrerá las marismas.
b. desde los que poder observar la naturaleza salvaje del lugar.
c. en el cual hay dunas móviles de gran interés.
d. que organiza su asociación.
e. que está en peligro de extinción.
f. conocen perfectamente el Parque.
g. que vienen a pasar el invierno aquí.

Práctica

PRONOMBRES RELATIVOS

	SE REFIERE A PERSONAS	SE REFIERE A COSAS
Sin preposición	Que	Que
	Hay guías. *Estos guías* enseñan el Parque. Hay guías *que* enseñan el Parque.	Quería saber las actividades. *La AANA organiza actividades.* Quería saber las actividades *que* organiza AANA.
Con preposición (a, en, de, por, para, con...)	El / la / los / las que El / la cual - los / las cuales Quien - quienes Los monitores conocen muy bien el Parque. Sus estudiantes estarán con *esos monitores.* Los monitores con *quienes / los que* estarán sus estudiantes conocen muy bien el Parque.	El / la / los / las que El / la cual - los / las cuales Doñana es un Parque muy grande. *En este Parque* hay dunas móviles de gran interés. Doñana es un Parque muy grande en *el que / cual* hay dunas móviles de gran interés.

3 Un Parque que...

Completa con el pronombre adecuado. Escribe todas las frases posibles.

1. ¿Me dejas el plano _____ compraste ayer?
2. Te presento a las amigas con _____ voy a ir de excursión.
3. Doñana es un Parque muy grande en _____ puedes realizar paseos a caballo.
4. Ayer hablamos con la secretaria _____ organiza la excursión.
5. Toma, aquí tienes el folleto del _____ te hablé.
6. Compramos unas postales _____ representan las dunas.

4 Redacta un texto sobre Doñana.

Une las frases y escribe un párrafo.

Doñana es un Parque Natural. Este parque ocupa 50.720 hectáreas.

Visite las dunas. Las dunas están en el sur del Parque.

En las dunas hay muchos animales. Puede sacar fotos de estos animales.

Nuestros guías le prestarán prismáticos. Con estos prismáticos observará los animales.

Podrá ver cigüeñas. Estas cigüeñas invernan en el bosque.

En Doñana hay marismas. Por las marismas se puede pasear a caballo.

conversación
Describir paisajes.

5 Mira y localiza.
Observa estos paisajes.
¿Sabes dónde están situados?
¿Podrías citar el nombre de otros paisajes conocidos?

La cordillera de los Andes

El desierto de Atacama

El Everest

La Patagonia

La selva del Amazonas

6 Ahora tú.
Describe un paisaje o un parque natural que tú conozcas. Di qué hay.

Profundiza

1 Para celebrar el día de la Tierra en clase de Ciencias sociales se organiza un debate.

Escucha la conversación y relaciona.

1. Hay que
2. Es importante
3. Es necesario
4. Lo mejor es
5. Se pueden
6. Es conveniente
7. Está muy bien

a. hacer pequeñas acciones.
b. utilizar los papeles por los dos lados.
c. tener muchos centros para reciclar.
d. hacer campañas de concienciación.
e. hacer muchas cosas.
f. educar a la gente.
g. hacer esta celebración todos los años.

2 Y tú, ¿qué puedes proponer en el día de la Tierra?

Da soluciones a estos problemas ecológicos.

LA CONTAMINACIÓN DEL AIRE Y DEL AGUA
LA DEFORESTACIÓN
EL EFECTO INVERNADERO
LOS INCENDIOS FORESTALES
LA DESAPARICIÓN DE ESPECIES

> Para reducir la contaminación del aire hay que usar menos los coches.

EL DÍA DE LA TIERRA

3 Aquí tienes algunos proyectos ecológicos.

Elige uno y explica qué soluciona.

EXPRESAR CONDICIONES CON EFECTOS FUTUROS

Si + presente, futuro
Si no cuidamos el medioambiente,
desaparecerán muchos animales.

Futuro + si + presente
Desaparecerán muchos animales
si no cuidamos el medioambiente.

FORMACIÓN DEL FUTURO

Infinitivo +	
Yo	-é
Tú	-ás
Él, ella, usted	-á
Nosotros, nosotras	-émos
Vosotros, vosotras	-éis
Ellos, ellas, ustedes	-án

> Es necesario no usar los aerosoles. Si los usamos, aumentará el agujero de la capa de ozono.

Compara la formación del condicional con la del futuro.

DECIR		HACER	
FUTURO	CONDICIONAL	FUTURO	CONDICIONAL
diré	diría	haré	haría
dirás	dirías	harás	harías
dirá	diría	hará	haría
diremos	diríamos	haremos	haríamos
diréis	diríais	haréis	haríais
dirán	dirían	harán	harían

Acción

a. Observa.

Conoces las peculiaridades de los países hispanos

SUPERLATIVO RELATIVO

el / la / los / las + sustantivo + más / menos + adjetivo
El Aconcagua es el pico más alto de los Andes.
el / la / los / las + sustantivo + que + más / menos + sustantivo / adverbio / Ø + verbo
Es el país que más habitantes tiene.
Es la ciudad que más me gusta.

b. Infórmate.

Aquí tienes algunas curiosidades de los países de habla hispana. ¿Sabes de qué país es cada una? Relaciona.

Relaciona

1.	Argentina	a.	Es el único país del mundo que no tiene ejército.
2.	Bolivia	b.	Es el país más densamente poblado.
3.	Chile	c.	Es el primer productor de bananas del mundo.
4.	Colombia	d.	Es el primer productor de esmeraldas del mundo.
5.	Costa Rica	e.	Es el país más pobre de Centroamérica.
6.	Cuba	f.	Es el tercer país más visitado del mundo.
7.	Ecuador	g.	Es la isla menor, con 9.104 km^2, y más oriental de las Antillas.
8.	España	h.	Es el país de América que usa más bicicletas.
9.	Guatemala	i.	Es uno de los países más verdes de Centroamérica.
10.	Honduras	j.	Es el país de América que exporta más carne.
11.	México	k.	Hay un lago navegable que es el más alto del mundo.
12.	Nicaragua	l.	Tiene la esperanza de vida más alta de Sudamérica.
13.	Panamá	m.	Por su Canal pasan al año 12.000 barcos.
14.	Paraguay	n.	Su capital es la ciudad más antigua de América.
15.	Perú	ñ.	Su capital es la ciudad más poblada del mundo.
16.	Puerto Rico	o.	Su capital es la más alta del mundo.
17.	Rep. Dominicana	p.	Su lago es el único en el mundo con fauna oceánica.
18.	El Salvador	q.	Tiene el desierto más seco del planeta.
19.	Uruguay	r.	Tiene la catarata más alta del mundo, el Salto del Ángel.
20.	Venezuela	s.	Tiene la central hidroeléctrica más grande del mundo.

c. Expresa tus conocimientos.

OPINAR	EXPRESAR IGNORANCIA	MOSTRAR ACUERDO	MOSTRAR DESACUERDO
Estoy seguro de que...	No lo sé / (no tengo) ni idea.	Es verdad.	No, qué va. Es...
Creo que...	No me acuerdo.	Tienes razón.	Te equivocas.
Yo diría que...			Yo creo que no.

d. Completa la información.

Habla con tus compañeros y compara los resultados.

Pues yo diría que el país que tiene la capital más poblada es Argentina.

Te equivocas. Yo creo que es México.

Acción

Con tu compañero encuentra más récords para proponerlos a la clase. Haced la lista de todos los récords.

¿Cuál es el río más largo de Brasil?

Descubre

▶▶ Símbolos de identidad

• El nombre «Argentina» proviene del latín *argentum* (plata). Nace de una leyenda entre los primeros exploradores europeos, según la cual había una sierra toda de plata. Fueron los portugueses quienes denominaron Río de la Plata al gran estuario.

• El himno nacional argentino se cantó por primera vez en 1813. La primera versión tenía algunas estrofas negativas contra España, pero luego se decidió que solo se cantarían la primera y la última cuarteta, y el coro de la versión original «por cuanto respetan las tradiciones y la ley sin ofensa de nadie».

• El 12 de marzo de 1813 se aceptó oficialmente el escudo nacional. Los colores nacionales, azul y blanco, resaltan en el centro. Dos manos diestras (que simbolizan la unión) sostienen una pica en cuyo extremo superior se alza un gorro frigio rojo (en alusión a la libertad). El óvalo está rodeado de laureles (por la gloria militar) y por encima se asoma el sol naciente (implica el nacimiento de la nueva nación).

[Pluricul turalidad]

- Describe la geografía de tu país: ¿dónde está?, ¿con qué países hace frontera?, ¿qué regiones la componen?
- Indica cuáles son los símbolos nacionales de tu país. ¿Sabes su origen? ¿Conoces qué simboliza cada uno?

• El peso argentino es la moneda oficial.

• Desde 1942, la flor del ceibo, es la *flor nacional argentina,* porque «ha sido evocada en leyendas aborígenes y cantada por poetas, sirviendo también de motivo para trozos musicales que han enriquecido nuestro folklore, con expresiones artísticas de hondo arraigo popular y típicamente autóctonas (…) Además, (…) su extraordinaria resistencia al medio y su fácil multiplicación han contribuido a la formación geológica del Delta Mesopotámico, orgullo del país y admiración del mundo».

• La piedra del inca, llamada así porque los incas la guardaban como tesoro para su soberano, es una piedra de origen volcánico que se encuentra en las Sierras Capillitas (Catamarca), a más de 3000 m de altura. Es de color rosa o púrpura, por lo que también se llama *rodocrosita* (del griego, rodo: rosa; crosita: color). Se utiliza industrialmente para obtener manganeso. Además, se emplea como piedra semi-preciosa. Argentina es el único lugar del mundo donde la rodocrosita aparece en bloques y por ello se considera la piedra nacional, aunque no hay ninguna ley que lo diga.

Presentación

La República de Filipinas es un archipiélago en el que hay más de 7.000 islas e islotes. Está situado en la costa sudeste del continente asiático y limita al norte y al oeste con el mar de China; al este, con el océano Pacífico y al sur, con el mar de Célebes y las costas de Borneo.

La isla de Luzón es la mayor de Filipinas. En ella está la capital, Manila. A lo largo de la bahía de Manila hay una antigua ciudad amurallada española muy turística, Vigan. La segunda ciudad más importante del país es Cebú.

Las lenguas oficiales son dos, el filipino (basado en tagalo) y el inglés. Algunos de sus habitantes hablan también español. Además, hay muchos dialectos, como el cebuano, el ilocan, el hiligaynon o el ilonggo.

En Filipinas el clima es tropical. Solo hay dos estaciones climatológicas, la estación seca y la estación de lluvias. Para el turismo, la mejor época es de noviembre a febrero, pues hay pocas lluvias y la temperatura es muy agradable.

Vista panorámica.
MANILA.

Colinas de Chocolate.
ISLA DE BOHOL.

Vista de la playa.
PALAWAN.

Cultivo de arroz.
BENAUE.

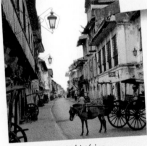

Barrio histórico.
VIGAN.

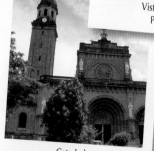

Catedral.
MANILA.

Actividades

1 - Indica dónde está Filipinas.

2 - ¿Cuál es la isla más grande?

3 - ¿Cómo se llama la capital?

4 - ¿Qué idiomas se hablan?

5 - ¿Qué ciudad de origen español es muy conocida?

6 - ¿Cuál es su clima? Explica cómo es.

7 - ¿Cuál es su cultivo principal?

8 - ¿Cuál es la lengua más común?

Lectura

La República de Guinea Ecuatorial es un estado de África occidental que comprende una parte continental llamada Mbini y una parte insular, formada por las islas Bioko, Pagalu, Corisco, Elobey Grande y Elobey Chico. Era conocida como «Guinea Española». Limita al norte con Camerún; al este y al sur, con Gabón y al oeste, con el océano Atlántico.

Los guineanos son alrededor de 432.000 y hablan el español, además de pidgin inglés, fang, ibo y bubi.

Malabo (antiguamente Santa Isabel) es la capital nacional y el principal puerto de la isla Bioko. Está situada al norte de la isla, en el borde de un cráter volcánico que, invadido por el mar, ha formado una bahía natural.

El clima de Guinea es tropical: hace calor y es húmedo.

Vista aérea de la capital.
MALABO.

Iglesia.
BATA.

Pico Basilé.
ISLA DE BIOKO.

Sede del gobierno.
MALABO.

Calle de la capital.
MALABO.

Puerto del río Muni.
COGO.

Actividades

1 - Sitúa en un mapa dónde está.

2 - ¿Por qué se llama «Guinea Española»?

3 - ¿Qué países la rodean?

4 - ¿Qué idiomas se hablan?

5 - ¿Qué nacionalidad tienen sus habitantes?

6 - ¿Cuál es su clima? Explica cómo es.

7 - ¿Cuál es la capital?

Prepara tu examen

Describir lugares

> Doñana es un parque muy grande con dunas y marismas.

Hacer recomendaciones: expresar necesidad u obligación

> Para reducir la contaminación, hay que usar menos los coches.

> Las botellas se deben tirar en los contenedores de vidrio.

Hacer recomendaciones: presentar una solución posible

> Es conveniente ahorrar energía.

> Se pueden hacer campañas para sensibilizar a la población.

Expresar condiciones con efectos futuros

> Si no usamos más el transporte público, aumentará la contaminación.

> Aumentará la contaminación si no usamos más el transporte público.

Opinar

> Estoy seguro de...

> Yo diría que todo se va a solucionar.

Expresar ignorancia

> ¿Sabes cuándo llega Juan?

> No lo sé / Ni idea / No me acuerdo.

Mostrar acuerdo y desacuerdo

> El examen era muy difícil.

> Es verdad. Tienes razón.

> No, qué va... Te equivocas, solo había que estudiar un poco.

Gramática

Los pronombres relativos con y sin preposición

- *En el parque, hay guías que ayudan a los excursionistas.*
- *Doñana es un parque muy grande en el que puedes realizar paseos a caballo.*

Los superlativos

- *El Teide es la montaña más alta de España.*
- *Es el monumento que más me gusta.*

Vocabulario

▶ Los animales salvajes

- el águila
- el ave migratoria
- la ballena
- el chimpancé
- el ciervo
- la cigüeña
- el delfín
- el gamo
- el guepardo
- el jabalí
- el lince
- el oso panda

▶ Los paisajes naturales

- el bosque
- la cordillera
- el desierto
- la duna
- el lago
- la laguna
- la llanura
- el mar
- la marisma
- el océano
- el río
- la selva
- el volcán

▶ Los problemas ecológicos

- las catástrofes climatológicas
- la contaminación
- la deforestación
- la desaparición de especies
- el efecto invernadero
- las especies en peligro de extinción
- los gases contaminantes
- los incendios forestales
- las pilas
- los residuos
- la tala de árboles
- el tráfico de autos privados

▶ Verbos para la protección del medioambiente

- apagar las luces
- combatir la contaminación del aire
- concienciar a los ciudadanos
- defender la naturaleza
- dejar el coche
- educar a la gente
- fomentar el uso de la bicicleta
- hacer campañas
- limpiar parques y bosques
- plantar árboles
- prohibir la tala
- proteger la naturaleza
- proteger las especies en peligro
- proteger los mares y océanos
- reciclar
- separar los residuos
- tomar conciencia del problema
- usar energías limpias
- utilizar los papeles por los dos lados

Evalúa tus conocimientos.

1. **COMPRENDO UN TEXTO ESCRITO: PARQUES NATURALES Y NACIONALES.**

- [ ] mal
- [ ] regular
- [ ] bien
- [ ] muy bien

Lee el texto y encuentra las diferencias y similitudes que hay entre un parque natural y un parque nacional.

> Un parque natural es aquel espacio natural que, gracias a características biológicas, paisajísticas y estéticas especiales, goza de especial protección, teniendo mucho cuidado en la conservación y mantenimiento de sus cualidades. Los parques naturales pueden ser marítimos o terrestres y pueden estar en la montaña, el mar, el desierto o cualquier otro espacio definido geográficamente.
>
> En España se hace una distinción entre parque natural y parque nacional. Al contrario de lo que suele pensarse, las categorías de espacios naturales protegidos en España se basan en niveles mayores o menores de protección, por lo que el parque nacional «no» es la figura de mayor protección. Se basa en sus funciones y características.
>
> Un parque nacional es un área que hay que conservar en su estado natural, se caracteriza por ser representativa de una región fitozoogeográfica y tener interés científico. A pesar de que el concepto de parque nacional es de reciente aparición en el mundo occidental, en Asia se encuentran los primeros esfuerzos por mantener grandes extensiones de tierra bajo el control del Estado, con fines de protección a la naturaleza.

2. (7) **COMPRENDO UN TEXTO ORAL: UN DEBATE DE CLASE.**

- [ ] mal
- [ ] regular
- [ ] bien
- [ ] muy bien

Escucha a estos estudiantes proponiendo ideas para proteger la naturaleza y anota cinco de las propuestas que hacen.

¿Con cuál de ellas estás más de acuerdo? ¿Por qué?

3. **ESCRIBO: PROPONES SOLUCIONES ECOLÓGICAS.**

- [ ] mal
- [ ] regular
- [ ] bien
- [ ] muy bien

Elige una de estas situaciones y propón soluciones.

- Los estudiantes de tu curso tiran muchos papeles al suelo.
- Muchos días se queda la luz del aula encendida cuando es el recreo o cuando hay una pausa.
- Tus compañeros tiran las pilas de las calculadoras y de los aparatos electrónicos a la papelera.
- Se utiliza mucho papel.

4. **HABLO: PRESENTO MI PAÍS A UN EXTRANJERO.**

- [ ] mal
- [ ] regular
- [ ] bien
- [ ] muy bien

Cuenta a una persona que no conoce bien tu país sus peculiaridades y sus récords.

- Cuáles son las ciudades mayores.
- Cuál es la actividad económica más importante del país.
- Cuáles son los lugares que tienen más atractivos turísticos.
- Etc.

Módulo 4

El mundo y las personas

Cuentas una anécdota

▶ Eres capaz de...

» **Expresar los intereses.**
» **Describir una tarea.**
» **Hablar de intercambios.**
» **Valorar una experiencia pasada.**
» **Transmitir las palabras de otra persona.**
» **Relatar en pasado.**

▶ Aprendes...

» **Usos del pronombre lo.**
» **Los pronombres y los adjetivos indefinidos.**
   El estilo indirecto en pasado.
   Forma y usos del pretérito pluscuamperfecto.
   Usos de los tiempos del pasado.
» **La formación de palabras con el sufijo** –nte.

▶ Conoces...

Intereses turísticos.
Valoraciones.

▶ Mundo hispano...

Descubre Argentina.
Presentación del mundo azteca.

Recomendamos la lectura 4, pág. 102.

Conocer el mundo

Escucha y contesta
a las preguntas.

Los tres amigos
tienen que hacer
la tarea sobre
varios países.
Hablan de sus
intereses.

1. ¿Cuál es la tarea?

2. ¿Qué le interesa a Virginia?

3. ¿Y a Víctor?

4. ¿Qué necesitan para hacer su trabajo?

5. ¿Qué van a hacer?

1 La tarea cultural.

Escucha y completa con *algo, alguien, algún, algunas, algunos, nada, nadie* y *ninguna*.

1. Tenemos que hacer intercambios por Internet con _____ estudiantes.
2. Y conocer _____ de sus países: cultura, información geográfica...
3. Nos podemos poner en contacto con _____ estudiantes franceses e ingleses.
4. Lo que más me gustaría es estudiar _____ país lejano.
5. Yo no conozco a _____. Además, no tenemos _____ información previa.
6. Como no tenemos _____, lo tenemos que buscar todo.
7. No, no tengo _____ en casa. Pero en la biblioteca del instituto habrá _____.
8. Seguro que hay un foro o un lugar donde poder contactar con _____ de otro país.

2 ¿Ha llamado alguien?

Relaciona las preguntas con las respuestas. Cada pregunta tiene dos respuestas.

1. Sí, el baloncesto.
2. Con Marta.
3. No, nada.

a. ¿Te llamó alguien ayer?

b. ¿Te gusta leer?

c. ¿Practicas algún deporte de equipo?

d. ¿Con quién hablaste ayer por la tarde?

e. ¿A quién llamaste el sábado?

f. ¿Hiciste algo interesante el domingo?

g. ¿Conoces a alguien en España?

h. ¿Tienes algún trabajo para mañana?

4. Sí, mi amigo Matías.
5. Sí, dos, de Inglés y de Ciencias.
6. No, y no tengo ningún libro.
7. No, ninguno. ¡Qué suerte!
8. A nadie, no tenía ganas.
9. No, a nadie.
10. No, no me llamó nadie.
11. Sí. Vi una película con Pedro.
12. Con nadie, me quedé sola en casa.
13. Sí, y tengo algunos libros de aventuras.
14. Sí, tengo algunos amigos del *chat*.
15. A José, para quedar con él.
16. No, ninguno. No me gustan.

Relaciona

Práctica

3 Un intercambio cultural.

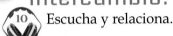

Escucha y contesta a las preguntas.

1. ¿Quería ir Virginia de intercambio?
2. ¿Le gustó la experiencia?
3. ¿Es cara la experiencia?
4. ¿Qué le ocurrió durante su estancia?

TRANSMITIR LAS PALABRAS DE OTRA PERSONA

Me dijo que + imperfecto.	Transmitir informaciones.
Me dijo que + pluscuamperfecto.	Transmitir acontecimientos pasados.
Me dijo que + condicional.	Transmitir planes y proyectos.

4 Rubén cuenta el intercambio.

Escucha y relaciona.

Relaciona

Virginia dijo:
a. Un día repetiré la experiencia.
b. Mi familia es muy simpática.
c. Visité los museos.
d. Conocí a un chico estupendo.

Rubén cuenta:
1. Me dijo que... los museos.
2. Me contó que su familia... muy simpática.
3. También me dijo que en una fiesta... a un chico estupendo.
4. Me dijo que... la experiencia.

5 ¿Qué le contó Virginia a Rubén de su intercambio?

Transforma las frases en estilo indirecto.

Me lo pasé muy bien. *Dijo que se lo había pasado muy bien.*

1. Conocí a un chico muy simpático.
2. Aprendí mucho y pude practicar la lengua.
3. Estuve en muchas fiestas de mis nuevos amigos.
4. Visité muchos museos y ciudades.
5. Tuve que trabajar para ganar algo de dinero.

EL PLUSCUAMPERFECTO

Haber **en** imperfecto **+** participio

yo	había	
tú, vos	habías	visitado
él, ella, usted	había	escrito
nosotros/as	habíamos	visto
vosotros/as	habíais	comido
ellos/as, ustedes	habían	

conversación

6 Tu opinión sobre los intercambios.

a. Cuenta a tu compañero una experiencia intercultural.
b. Haz las transformaciones necesarias y cuenta al resto de la clase lo que te dijo tu compañero.

Antonio Machado (Sevilla, 1875 - Collioure, Francia, 1939) es uno de los poetas españoles más conocidos. Su poesía se caracteriza por ser muy sencilla, pero de un significado filosófico y humano muy profundo. Escribió en una época de enormes conflictos y cambios en España. Este es su poema más conocido.

1 Caminante, son tus huellas
el camino y nada más;
caminante, no hay camino,
se hace camino al andar.
5 Al andar se hace el camino,
y al volver la vista atrás
se ve la senda que nunca
se ha de volver a pisar.
Caminante, no hay camino
10 sino estelas en la mar.

1 Vocabulario

a. Haz una lista con las palabras nuevas del texto e identifica el significado con ayuda del contexto.

b. Forma el sustantivo de estos verbos:

1. Caminar	*caminante*
2. Cantar	
3. Escribir	
4. Aprender	
5. Habitar	
6. Protestar	

c. Y de estos adjetivos:

brillar	
picar	
salir	
sobresalir	

d. Copia en tu cuaderno todas las palabras del poema relacionadas con *andar*.

e. Haz una lista de palabras que todavía no entiendes y busca el significado con ayuda del diccionario.

2 Forma

a. Cuenta las sílabas de cada verso.
b. Fíjate en la terminación de cada verso. ¿Son de rima asonante o consonante?
c. Lee en voz alta y expresiva la poesía. ¿Cómo es el ritmo? ¿A qué se parece?
d. El poema corresponde a una estructura métrica típica del romance, una forma de poesía tradicional y muy popular (con versos cortos) que se parece a una canción. ¿Crees que es la forma métrica propia de un poema filosófico? ¿Por qué crees que el poeta ha elegido esta forma?

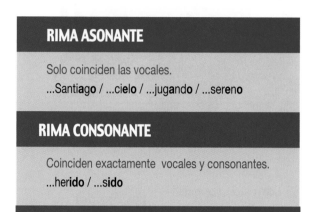

RIMA ASONANTE

Solo coinciden las vocales.
...Santiago / ...cielo / ...jugando / ...sereno

RIMA CONSONANTE

Coinciden exactamente vocales y consonantes.
...herido / ...sido

3 Comprensión

a. ¿Qué crees que simbolizan el caminante y el camino?
b. ¿Qué es el mar?
c. Resume con tus palabras el poema. ¿Qué dijo el poeta?
d. Da tu opinión personal sobre el poema.
   - ¿Qué impresiones o sentimientos sacas?
   - ¿Te gusta?
   - ¿Por qué?

Taller creativo ▶ Tu poema filosófico

4 Crea tu poema:

a. Sustituye las palabras «caminante» y «camino» por otras palabras, por ejemplo, «cantante» y «canto» o «estudiante» y «estudio».
b. Vuelve a escribir el poema cambiando también otros elementos para que la poesía tenga sentido.

PARA SABER MÁS
www.los-poetas.com/a/mach.htm

Profundiza

1 ¿Qué países te gustaría conocer? ¿Qué te atrae de ellos? ¿Qué es lo que más te interesa? Di tu opinión.

Los museos más importantes

La vida cotidiana

La gastronomía

El sistema educativo

Las fiestas y costumbres

Los grandes escritores y poetas

El cine

La protección de la naturaleza

Las ciudades más importantes y la capital

Los grandes inventores

Lo que	(más / menos) (realmente) (sí / no) (de verdad)	me atrae me interesa me gusta	es saber cómo vive la gente. es el cine. son los museos.
Lo	(más / menos) (realmente)	atractivo interesante importante	

2 **Piensa en el idioma español.**

Completa las frases.

- Lo que más me atrae del español...
- Lo más difícil...
- Lo que realmente me interesa...
- Lo que menos me gusta...

- Lo más divertido...
- Lo más fácil...
- Lo que de verdad quiero aprender...
- Lo más importante para comunicarse...

3 **Un intercambio.**

a. Lee este anuncio.

b. ¿Te gustaría hacer un intercambio de este tipo? ¿Cuáles son sus ventajas e inconvenientes?

INTERLINGUA

Intercambio de estudiantes
Estancias en el extranjero para jóvenes de 16 a 18 años

- Vivirás con una familia: compartirás sus actividades y sus comidas y practicarás su lengua.
- Por las mañanas, asistirás a clases.
- Por las tardes, realizarás actividades deportivas y culturales.

Como la familia no habla tu idioma, para comunicarte con ella tienes que hablar el suyo y aprendes muchas cosas.

Yo creo que también te puedes sentir un poco solo, lejos de tu familia y de tus amigos.

Acción

a. Un correo desde el extranjero.

Lee este correo y completa las frases.

⟲ Enviar ahora   ⟲ Enviar más tarde   🖫   ✏ Añadir archivos adjuntos   ✒ Firma ▼   ▤ Opciones

http//

Querida Sara:

Por fin tengo tiempo para escribirte. Lo estoy pasando fenomenal. Tengo muchísimas cosas que contarte. Aquí van algunas... Ayer, como teníamos la tarde libre, quedé con Borja para ir al cine. Tenía que pasar a buscarme a las tres a la casa donde estoy viviendo, pero llegó a las tres y media porque había perdido el plano de la ciudad y no sabía el camino. En el autobús, me di cuenta de que había olvidado el dinero y tuvimos que regresar a casa. Cuando llegamos, no había nadie, todos habían salido, y yo no tenía las llaves. Así que tuvimos que esperar casi una hora delante de la puerta.

---

1. Borja llegó tarde porque _____ el plano de la ciudad.
2. En el autobús, Virginia se dio cuenta de que _____ el dinero.
3. Cuando llegaron, todos _____ .

b. Reconstruye la anécdota.

1. Lee y completa con los verbos en indefinido.

Cuando (volver) _____ la madre, no (poder, nosotros) _____ entrar. (Sentarse, nosotros) _____ en un banco a esperar. El padre de la familia (llegar) _____ diez minutos después. Al fin (poder, nosotros) _____ entrar. Aunque era tarde, (irse, nosotros) _____ al cine. (Llegar, nosotros) _____ al cine. Luego, (ir, nosotros) _____ a una cafetería. (Decidir, nosotros) _____ pasar el resto del día juntos.

2. Ahora lee estas otras frases y pon el verbo en la forma correcta del imperfecto.

1. (Ser) _____ ya las cinco.
2. (Estar, nosotros) _____ cansados.
3. Allí (estar) _____ Isabel y Pedro.

4. (Tener, nosotros) _____ mucha hambre.
5. No (tener, nosotros) _____ nada que comer.

3. Finalmente, completa estas otras frases con la forma correcta del pluscuamperfecto. Luego, ordena las frases y escribe la historia.

1. (Olvidar, él) _____ su maletín.
2. Ellos también (llegar) _____ tarde al cine.
3. (Dejarse, ella) _____ las llaves dentro.

4. (Comprar, nosotros) _____ las entradas antes.
5. La película ya (empezar) _____ .

Acción

Cuenta una experiencia graciosa que has tenido.

- Piensa en los acontecimientos y las situaciones.
- Redacta el texto.
- Revisa los tiempos del pasado.
- Cuéntasela a tus compañeros.

Descubre

▶▶ La verdadera pasión: el fútbol

• Es el deporte que moviliza multitudes y el que *de hecho* es considerado por muchos argentinos como «el deporte nacional». De toda América, Argentina fue el primer país en institucionalizar este deporte. En 1893 se fundó la Argentine Association Football League (la más antigua de Sudamérica), que pasó a llamarse definitivamente AFA (Asociación de Fútbol Argentino) en 1934.

• Hoy día la selección argentina cuenta con figuras de primer nivel internacional, que juegan en los clubes más poderosos del mundo y se cotizan a cifras millonarias.

Argentina

Las principales victorias futbolísticas del país:

- Campeón Mundial en 1978 (Argentina) y 1986 (México).
- Subcampeón mundial en 1930 (Uruguay) y 1990 (Italia).
- Medalla de Oro Olímpica en 2004 (Atenas) y 2008 (Beijing).
- Medalla de Plata Olímpica en 1928 (Ámsterdam) y 1996 (Atlanta).
- 14 veces Campeón de la Copa América.
- Campeón de la Copa Confederaciones en 1992.
- Máximo campeón de la Copa Mundial en la categoría juvenil Sub-20: 1979, 1995, 1997, 2001, 2005 y 2007.

Los grandes jugadores

• El mejor jugador del siglo (de acuerdo a la votación promovida por la FIFA en 2000) es Diego Armando Maradona. De origen humilde, formó parte del equipo infantil de Villa Fiorito (barrio suburbano al sur de la Provincia de Buenos Aires), donde se ganó el alias de «Pibe de Oro» dada su destreza. A los doce años, pasó a formar parte del equipo «Cebollitas», los más pequeños del Club Argentino Juniors, y en muy poco tiempo ascendió ocho divisiones (de novena a primera). En 1979, integrando la selección nacional en la categoría juvenil, fue por primera vez Campeón del Mundo. En 1981, firmó contrato con el club Boca Juniors, donde jugó hasta 1982, cuando se mudó al Barcelona. El tiempo que jugó para el Nápoles (1984-1991), en Italia, fue probablemente la etapa de mayores logros en su carrera como futbolista, y sin lugar a dudas, su participación fue estelar en el Mundial que Argentina ganó en México en 1986. El esplendor comenzó a apagarse cuando en 1991 se le abrió una causa por sus problemas con la drogadicción y fue apartado del equipo italiano. Y, aunque volvió a jugar unos años más tarde, en 1994 cuando, se disputaba la Copa del Mundo en Estados Unidos, fue suspendido por la FIFA tras el resultado positivo de un control *antidoping*.

Pluricul turalidad

- ¿Cuál es tu deporte favorito? ¿Con qué frecuencia lo practicas? ¿Conoces algún deportista profesional de tu país de ese deporte?
- ¿Cuál es el deporte más popular en tu país? ¿Qué equipos o deportistas son más conocidos?
- ¿Sabes algunos trofeos internacionales de tu país en competiciones deportivas?

1. Mundo azteca

1 Señorío de Yopitzinco
2 Señorío de Tlaxcala
3 Señorío de Teotitlán
4 Señorío de Tototepec
5 Xoconochco

PIEDRA DEL SOL.

Test sobre el mundo azteca. ¿Qué sabes?

	V	F
1 - Los aztecas hablaban en español.	☐	☐
2 - Su capital fue fundada en 1521.	☐	☐
3 - En 1521 Hernán Cortés la conquistó.	☐	☐
4 - Tenotchtitlán es el nombre de su antigua capital.	☐	☐
5 - Actualmente se llama México, D.F.	☐	☐
6 - Hacían sacrificios de seres humanos.	☐	☐
7 - Quetzalcóatl era el dios creador del hombre.	☐	☐
8 - Eran muy buenos astrónomos.	☐	☐
9 - La religión tenía mucha importancia.	☐	☐
10 - Conocían el dinero que utilizaban para sus intercambios de mercancías.	☐	☐

Pirámide.
MONTE ALBÁN.

Atlantes.
TULA.

Ruinas.
TENOTCHTITLÁN.

Sacrificios humanos.
CÓDICE DURÁN.

Vista general.
MONTE ALBÁN.

Pirámide.
CHOLULA.

Pirámide de los Nichos.
EL TAJÍN.

Tláloc.
DIOS DE LA LLUVIA.

Altar para sacrificios humanos.
CHOLULA.

Coatlicue.
DIOSA DE LA TIERRA.

Penacho de Moctezuma.

Presentación

Los aztecas, pueblo náhuatl, llegaron al valle de México a principios del siglo XIV. Pensaban que procedían de Aztlán, lugar mítico de desconocida situación geográfica. En 1325 fundaron Tenotchtitlán, su fabulosa capital, a partir de la cual extendieron su gran imperio. En 1521 los españoles lo conquistaron.

Para los aztecas, la religión era muy importante. Creían en la vida en el más allá: en un paraíso situado en el Sol y en un infierno. El rito más importante consistía en sacrificios humanos. Sus principales dioses eran: Quetzalcóatl, dios creador del hombre, Tláloc, dios de la lluvia y del agua, Coatlicue, diosa de la tierra, Meztli, diosa de la Luna y Centeotl, dios del maíz.

Hablaban una lengua llamada náhuatl y utilizaban una escritura a base de ideogramas, pictogramas y signos fonéticos. También desarrollaron un sistema aritmético.

Eran excelentes astrónomos: determinaron las revoluciones del Sol, de la Luna, de Venus y, probablemente, de Marte. Crearon un calendario religioso y otro civil que cada cierto tiempo coincidían.

Su economía se basaba en la agricultura. Cultivaban maíz, fríjoles, tabaco... Practicaban el trueque como fórmula para comprar y vender.

La arquitectura azteca solo se conoce por los restos que sobrevivieron a la conquista española. Las edificaciones más representativas son los templos piramidales. Destacan los grandes centros ceremoniales de Teotihuacán, con las pirámides del Sol y de la Luna, y de Cholula.

Actividades

1. **Haz el test.**
2. **Lee el texto y observa las fotos.**
3. **Comprueba tus respuestas del test.**

Prepara tu examen

Expresar los intereses

> Lo que más me gusta de España son los paisajes.

> Lo que me interesa es saber cómo vive la gente.

Transmitir las palabras de otra persona

> Virginia me contó que había hecho nuevos amigos.

Repetir una pregunta

> Me preguntó que dónde habíamos estudiado.

> Le pregunté que si quería venir a la fiesta.

Contar acontecimientos pasados

> Ayer, como tenía la tarde libre, quedé con un amigo para ir al cine.

Gramática

El pronombre *lo*

Lo que más me interesa es la música.
Lo menos interesante son los parques.

Los pronombres y adjetivos indefinidos

Algo; nada; algún; alguno(s), alguna(s); ningún, ninguno, ninguna.

El estilo indirecto en pasado

Me contó que había estado en muchas fiestas.
Me preguntó si viajaría solo.

El pretérito pluscuamperfecto

▸ Verbos regulares:
　　hablar > había hablado.
　　aprender > había aprendido.
　　vivir > había vivido.

▸ Verbos irregulares:
　　ver > había visto.
　　poner > había puesto.
　　hacer > había hecho.
　　volver > había vuelto.
　　escribir > había escrito.
　　abrir > había abierto.

Uso de los tiempos en pasado

Cuando llegó Juan, yo ya me había marchado porque tenía cosas que hacer.

Vocabulario

▶ Los intereses turísticos de un país

- el arte y la arquitectura
- el cine
- las ciudades más importantes y la capital
- los deportistas y famosos
- las fiestas y costumbres

- la gastronomía
- los grandes escritores y poetas
- los grandes inventores
- la música
- los museos más importantes

- la protección de la naturaleza
- el sistema educativo
- la vida cotidiana

▶ Palabras relacionadas con *andar*

- andar
- el caminante
- caminar

- el camino
- la huella

- pisar
- la senda

▶ Los verbos y sus derivados

- amar
- el / la amante
- aprender
- el / la aprendiente
- brillar
- brillante
- cantar

- el / la cantante
- escribir
- el / la escribiente
- habitar
- el / la habitante
- picar
- picante

- protestar
- el / la protestante
- salir
- saliente
- sobresalir
- sobresaliente

▶ Palabras y expresiones para hablar de intercambios

- la anécdota
- aprender
- asistir a clase
- compartir
- comunicarse

- convivir
- la estancia
- la experiencia
- el intercambio
- pasarlo bien / mal

- practicar
- realizar actividades
- sentirse

Evalúa tus conocimientos.

1.

📖 **COMPRENDO UN TEXTO ESCRITO: UNA WEB DE INTERCAMBIOS.**

☐ mal
☐ regular
☐ bien
☐ muy bien

Lee esta página web y responde a las preguntas.

You quieres parlare com moi?... ¡HABLEMOS!

¿Qué es?
¡Hablemos! es un tablón electrónico de anuncios cuyo fin es promover el contacto entre aquellas personas que quieran mejorar su conocimiento de un idioma a través de la conversación con otras personas que lo usan como lengua materna.
Está dirigido a cualquier miembro de la comunidad universitaria que quiera practicar sus conocimientos de un idioma extranjero y a los visitantes extranjeros que quieran practicar el español.

¿Cómo funciona?
En una base de datos se introduce la siguiente información de cada uno de los interesados en publicar un aviso:
- **Datos personales:** nombre, sexo, edad, estudios, localidad de residencia...
- **Datos para el intercambio lingüístico:** nacionalidad, lengua materna, idioma que quiere practicar y medio de contacto (dirección, teléfono, *e-mail*).

Una vez procesados estos datos, se podrán consultar las ofertas de intercambio que hay en cada momento y para cada idioma en esta web o en los tablones de anuncios.

¿Cómo insertar un aviso de intercambio lingüístico?
Puede hacernos llegar su aviso a través de correo electrónico, mediante una llamada telefónica o acudiendo personalmente.

1. ¿Qué información tienes que dar si quieres participar?
2. ¿A qué personas va dirigido?
3. ¿Cómo te puedes comunicar con los participantes?
4. ¿Te parece interesante la idea? ¿Por qué?

2.

⑨ 🎧 **COMPRENDO UN TEXTO ORAL: UN INTERCAMBIO, UNA EXPERIENCIA.**

☐ mal
☐ regular
☐ bien
☐ muy bien

Escucha a estos amigos hablando sobre un intercambio y anota qué cuenta de su familia, de las actividades de tiempo libre y de las personas a las que conoció.

3.

📝 **ESCRIBO: CUENTA UNA ANÉCDOTA.**

☐ mal
☐ regular
☐ bien
☐ muy bien

Piensa en algo que te ha pasado. Puede ser a ti o a alguien que conoces, puede ser real o imaginario.

- Primero piensa en los acontecimientos.
- Luego, en las situaciones.
- Redacta el texto bien escrito.

4.

💬 **HABLO: EXPLICO MIS GUSTOS.**

☐ mal
☐ regular
☐ bien
☐ muy bien

Lee el principio de esta conversación y simula una con un extranjero.

- *¿Qué es lo mejor de tu país?*
- *Pues...*
- *¿Y qué es lo que más te interesa del mío?*
- *...*

Módulo

▶ Los objetos cotidianos

Acción

Describes un objeto fantástico

Competencia pragmática

▶ Eres capaz de...

- ›› **Describir el pasado.**
- ›› **Relatar las acciones habituales pasadas.**
- ›› **Hablar del tiempo y del clima.**
- ›› **Describir un paisaje.**
- ›› **Comentar los cambios.**

Competencias lingüísticas

Competencia gramatical

▶ Aprendes...

- ›› **Los verbos regulares e irregulares en imperfecto.**
- ›› **Los verbos hacer, estar y haber en presente y en imperfecto para hablar del tiempo.**
- ›› **Ya no + verbo.**

Competencia léxica

▶ Conoces...

- ›› **Las palabras para describir un paisaje.**
- ›› **Los fenómenos atmosféricos.**

Conocimiento sociocultural

▶ Mundo hispano...

- ›› **Descubre Argentina.**
- ›› **Presentación del mundo inca.**

›› **Recomendamos la lectura 5, pág. 106.**

lección

9

El mundo a tu alrededor

LECTURA   Una página web

> Todos utilizamos constantemente objetos de uso muy práctico, pero muy pocas veces sabemos de dónde proceden o quién es su creador. Vamos a informarnos.

Google

Atrás   Adelante   Detener   Actualizar   Página principal   Favoritos   Historial   Buscar   Autorrelleno   Mayor   Menor   Imprimir   Correo   Preferencias

Dirección: http://www.

Página inicial de actualidad   Apple   iTools   Soporte de Apple   Apple Store   Productos para Mac   Microsoft Office

INVENTAR IDEAS ARGENTINAS

Inventos Argentinos
Inventos de Hoy y de Todos los Tiempos
Biografías y mucho más...

Portada   Biografías   Entrevistas   Históricos

Ladislao Biró

Para escribir, seguro que usas una birome (que en España se llama «bolígrafo»). Pero ¿sabías que su inventor era Ladislao Biró, un húngaro naturalizado argentino que vivió en Buenos Aires?

Aquí te contamos su historia:
En los años treinta, Ladislao Biró trabajaba como corrector en una revista húngara. Para escribir, usaba una pluma estilográfica. Como le molestaba muchísimo tener que utilizar papel secante cada vez que corregía algo, junto con su socio Meyne fabricó un cilindro lleno de una tinta especial y con una bolita de acero en la punta. La tinta impregnaba la bolita que, al girar sobre el papel, dejaba un rastro de tinta de secado rápido.

En 1938 Biró patentó este invento al que puso el nombre de birome (por la asociación de su apellido Biró y del de su socio Meyne).

En 1940, con la ayuda de Meyne, Biró, que era judío, emigró a Argentina huyendo de los nazis y se estableció en Buenos Aires. Allí, en 1943 registró de nuevo la patente y la birome empezó a venderse enseguida.

Otros inventos argentinos muy importantes
En 1914 Luis Agote ideó instrumentos para la transfusión sanguínea y realizó la primera transfusión con sangre almacenada.
En 1916 Raúl Pateras de Pescara construyó el primer helicóptero.
En 1917 Quirino Cristiani imaginó la tecnología para producir los dibujos animados y filmó el primer cortometraje de este género.
En 1928 Ángel Di Césare y Alejandro Castelvi crearon el colectivo.

1   Vocabulario

a. Copia en tu cuaderno todas las palabras sinónimas de «inventar».
b. Subraya en el texto la información más importante y deduce por el contexto las palabras que no conoces.

2   Comprensión

a. ¿Por qué se llama en Argentina *birome*?
b. ¿Qué acontecimiento histórico obligó a Biró a escapar de su país?
c. ¿Qué ventajas tiene la birome o el bolígrafo sobre la pluma? (Indica al menos tres).

3   Análisis

Busca en el texto las palabras y expresiones para describir un bolígrafo.

Ampliación

DESCRIBIR OBJETOS

Forma: *Es redondo, cuadrado, rectangular, triangular, ovalado, plano, puntiagudo...*
Tamaño: *Es ancho / estrecho, largo / corto, grueso / fino, grande / pequeño, ligero / pesado...*
Material: *Es de papel / cartón / metal / lana / plástico / madera / cristal / tela / piel...*
Otros detalles: *Es plegable, ruidoso / silencioso, duro / blando, frágil, adhesivo, portátil, rápido / lento, suave / rugoso...*
Funciona con pilas, electricidad, gasolina, batería.
Tiene una / dos... / varias partes.
Sirve para cortar, pegar, andar...

4 **Dos amigos juegan a las adivinanzas**
Escucha a los dos amigos e intenta adivinar tú
también qué objeto es.

1.
2.
3.
4.
5.

5 **¿Para qué sirven / se usan estos objetos?**
Relaciona y escribe frases como en el ejemplo.

> Las tijeras son unas herramientas que se usan para cortar.

Relaciona

1. un aparato
2. una herramienta
3. una prenda
4. un electrodoméstico
5. un instrumento

a. abrir y cerrar puertas
b. protegerse del frío
c. hablar
d. conservar los alimentos
e. borrar
f. cortar
g. retratar
h. grabar música

Taller creativo ▶

6 **Describe un objeto**
Piensa en un objeto, descríbelo y tus compañeros dirán qué es.

> Es un objeto de metal. Tiene dos partes casi iguales.
> Este instrumento se usa para cortar papeles, telas...

> Son las tijeras.

> Sí.

7 **Crea tu página web**
Busca en Internet algún invento
hecho en tu país y escribe un
texto como el de la birome.

10

El mejor invento

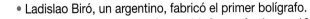

Antes de escuchar, observa estos objetos, lee las frases y completa el cuadro.

En la clase de Ciencias o en la clase de Historia estudiarás a los grandes inventores, qué hicieron y qué aportaron a la humanidad.

- Ladislao Biró, un argentino, fabricó el primer bolígrafo.
- Charles Babbage era un inglés que ideó su máquina en 1856.
- Un italiano hizo su invento en 1801.
- Se inventó el teléfono en 1860.
- El teléfono lo inventó un italiano.
- Hay dos inventores italianos muy famosos. Uno inventó la pila eléctrica. El otro se llama Antonio Meucci.
- John Logie Baird realizó su invento en 1926.
- La calculadora es un invento alemán.
- La idea original de la primera computadora fue de un inglés.
- El argentino creó su invento en 1938.
- Alejandro Volta era italiano.
- Wilhelm Schickard era un alemán que creó su invento en 1624.
- La televisión, ideada por un escocés, es un gran invento de la humanidad.

Invento	Inventor	Nacionalidad	Fecha de creación
1.			
2.			
3.			
4.			
5.			
6.			

1 Dos amigos hablan de inventos del futuro.

Escucha y relaciona las partes de las frases.

Relaciona

- Cree que la tele
- Piensa que en el futuro
- No cree que todo el mundo
- Cree que, a finales de siglo, el hombre
- Piensa que

- No cree que la tele
- Tampoco cree que dentro de unos años
- Cree que muy pronto toda la gente
- No cree que

- nos visitarán
- habrá
- irá
- es
- pueda

- haya
- existan
- sea
- estará

- miles de canales.
- extraterrestres.
- comprarse una computadora.
- un invento muy importante.
- de vacaciones a Marte.

- conectada a la Red.
- miles de canales.
- extraterrestres.
- el invento más importante.

Práctica

EXPRESAR LA OPINIÓN

Pienso / Creo que + indicativo
Creo que la televisión es uno de los inventos más importantes.
No creo que + presente de subjuntivo
No creo que sea el invento más importante. Hay otros.

EL PRESENTE DE SUBJUNTIVO

Verbos regulares	hablar	comer	escribir
yo	hable	coma	escriba
tú, vos	hables	comas	escribas
él, ella, ud.	hable	coma	escriba
nosotros/as	hablemos	comamos	escribamos
vosotros/as	habléis	comáis	escribáis
ellos, ellas, uds.	hablen	coman	escriban

Verbos irregulares:
dar: dé, des, dé, demos, deis, den
estar: esté, estés, esté, estemos, estéis, estén
ir: vaya, vayas, vaya, vayamos, vayáis, vayan
saber: sepa, sepas, sepa, sepamos, sepáis, sepan
ser: sea, seas, sea, seamos, seáis, sean
tener: tenga, tengas, tenga, tengamos, tengáis, tengan

2 **Los inventos que han cambiado nuestras vidas.**

Completa con los verbos en indicativo o en subjuntivo.

1. Pienso que los ordenadores _____ (ocupar) ahora el tiempo que deberíamos dedicar a los demás.
2. Yo creo que los ordenadores te _____ (hacer) la vida más fácil.
3. ¿Os imagináis un aeropuerto sin ordenadores? No creo que _____ (poder) prescindir de ellos.
4. No creo que la informática _____ (ser) la solución para todos los problemas: pierdes tiempo, te pones nervioso, ves menos a los amigos...
5. Para mí, _____ (depender, nosotros) demasiado de las nuevas tecnologías. ¿Os acordáis del cambio de milenio?
6. Internet ha sido una revolución. Creo que _____ (ser) muy importante tener un acceso rápido a la información.

conversación
El invento más importante.

3 **a.** Piensa en el invento que te parece más importante para la humanidad.

Algunas ideas

la imprenta	el reloj	el calendario	el microscopio
los medicamentos	el jabón	la brújula	la lata de conserva
la rueda	las cerillas		

EXPLICAR

Para mí, es...
Primero, porque... Además / También...
Por otra parte...
Gracias a... podemos...
Sin el / la... no + condicional

b. Con tus compañeros discute tus ideas.

Para mí, un invento importantísimo es la imprenta. Sin la imprenta, no tendríamos libros. Gracias a ella casi todo el mundo lee y está informado de todo.

Yo no creo que la imprenta sea el invento más importante. Para mí son los medicamentos, porque permiten salvar vidas.

Profundiza

1 **Verbos en subjuntivo.**

a. **Para salir, tienes que pasar por las casillas con formas verbales en presente de subjuntivo, pero solo puedes pasar por una misma forma una sola vez y circular horizontal y verticalmente.**

pidas	digamos	salen	diciendo	quieras	salgan	abran	seáis	salgan
vuelves	duerma	pidas	pondrían	oigan	sepamos	oiga	vuelvas	tendré
haz	estén	se divierta	sepamos	sueñe	veis	dijiste	tengamos	bailarían
tomaré	duerma	digamos	estén	ten	esperas	oyen	miren	abran
vuelto	conozco	miren	vuelvas	den	di	vuelva	cierre	seguimos
diría	voy	hagamos	pongan	miren	estén	tengamos	hagamos	sean
siga	querrán	sigan	ganen	puedas	den	vaya	pongan	cené
pon	vaya	conozcan	viendo	cierre	empecé	sigues	conozcan	cuenten
hagamos	vio	enciendas	expliquen	comamos	empiece	esperes	ganen	hagas
cierre	ve	den	dicho	puedas	dio	escribas	enciendas	repitan

b. **Ahora clasifica los infinitivos en el cuadro.**

Regulares	e > ie, o > ue	e > i	e > ie/i	o > ue/u	1ª pers. irregular en presente de indicativo	Otros verbos irregulares

2 **La opinión con indicativo o con subjuntivo.**

a. **Completa con estos verbos en la forma adecuada.**

> dar – estar – haber – necesitar – poder – ser – tener

• Yo creo que el invento más importante actualmente .... Internet. Pienso que con Internet .... comunicarnos con todo el mundo y todo el mundo .... acceso a cualquier tipo de información.

• Bueno, yo no creo que todo el mundo .... acceso a la información, hay mucha gente y muchos países que no tienen ordenadores y conexiones. Además, no pienso como tú que Internet .... la mejor información, creo que en muchos casos la información .... manipulada o .... incompleta.

• Hombre, no es verdad que la información .... siempre manipulada. Si usas Internet tienes que saber utilizarlo, no es verdad todo lo que aparece en la red. Tampoco creo que se .... tanto para conectarse: se puede ir a cibercafés, a bibliotecas públicas..., pero es cierto que .... países y lugares con muchas dificultades, ahí tienes razón.

b. **Y tú, ¿qué opinas? Comenta las frases anteriores.**

Acción

a. Adivina adivinanza.
Lee este texto y dibuja el objeto.

Describes un objeto fantástico

- Es una máquina bastante pequeña y ligera.
- Normalmente es rectangular, pero también existen de otras formas.
- Funciona con una pila pequeña.
- Esta mide 6 centímetros de ancho por 9 centímetros de alto.
- En la parte superior hay una pantalla rectangular de 1 centímetro por 4 centímetros. Debajo de la pantalla hay pequeñas teclas cuadradas de 0,5 centímetros, colocadas en filas de cuatro.

b. ¿Para qué sirve?
Explícalo.

c. Una de matemáticas.
Ahora escribe en las teclas los números y los signos matemáticos: ¿Sabes cómo se llama cada uno de estos signos? Relaciona.

Relaciona

+	-	X	÷	=	%
DIVIDIR	TANTO POR CIENTO	RESTAR	IGUAL	MULTIPLICAR	SUMAR

d. Inventos imposibles.
Observa estos inventos e indica para qué crees que sirven.

No creo que sea una bicicleta ni que se use para moverse. Creo que es un objeto de adorno.

- **Crea un invento fantástico.**
- **Escribe un texto para describirlo.**
- **Descríbeselo a tu compañero, él tiene que dibujarlo.**
- **Observa su dibujo. ¿Es así cómo lo imaginabas?**

Descubre

▶▶ # El gaucho como símbolo de la argentinidad

• El gaucho es, ya desde aquel entonces, uno de los personajes argentinos más característicos. En el *Diccionario del habla de los argentinos* se lee la siguiente definición del gaucho: «Jinete trashumante, diestro en los trabajos ganaderos, que en los siglos XVIII y XIX habitaba la Argentina, el Uruguay y Río Grande del Sur (Brasil). En gran medida el folclore rioplatense suele identificarse con sus costumbres». Así, la figura del gaucho simboliza en nuestros días «el ser argentino», aun cuando la mayoría de los argentinos no se identifica con ellos, representan al hombre de campo, que nació en estas tierras y que luchó por su liberación.

• En la actualidad al gaucho se lo relaciona generalmente con las faenas ganaderas tradicionales, pues su lugar es la llanura (la pampa), aunque en otras épocas no fijaba nunca su residencia. Se dice de él que es generoso, valiente y muy creyente en Dios. Pero la representación social del gaucho no siempre ha sido la misma: antiguamente se lo vinculaba también con la delincuencia, la pereza y la violencia. El gaucho para la mayoría de quienes escribieron la historia argentina era sinónimo de barbarie, en contraposición al hombre civilizado, letrado, europeizante. Esta imagen del gaucho vinculado a lo salvaje, lo anárquico y lo incontrolable se difundió muy especialmente en la época de la Independencia, probablemente por el protagonismo que algunos caudillos (líderes gauchos federales, antiporteños y tradicionalistas, que contaban con gran apoyo popular y encabezaban una fuerza de oposición al gobierno centralista) tuvieron en el proceso de liberación.

• Hoy día, sin embargo, ha habido cierta reivindicación de estas figuras: distintos historiadores en la actualidad coinciden en que los caudillos, así como los gauchos, fueron hombres de su tiempo; ni tan salvajes ni tan civilizados.

Argentina

Características de los gauchos

Es buen jinete, hábil en el lanzamiento del lazo, la doma y el rodeo de hacienda.

Tiene una forma de vestir muy característica, aunque se ha ido modificando con los años. Estas son las prendas o *pilchas* del gaucho:

El poncho (prenda tejida típicamente andina, de forma cuadrada o rectangular con abertura en el centro para pasar la cabeza y así llevarlo sobre los hombros)

El chambergo (sombrero de copa redonda y ala levantada)

El pañuelo (al cuello)

La rastra (hebilla generalmente de metal con un medallón en el centro y adornada con botones y monedas, que se usa para unir los dos extremos del cinto)

La faja (una larga tira de lana, algodón o seda que tejían los indios pampas y que se enrolla a la cintura de derecha a izquierda)

Las bombachas (pantalón ancho cerrado en los tobillos)

Algunas de las costumbres que el gaucho tenía antes se ven también hoy en la ciudad, como por ejemplo, el mate.

Pluricul turalidad

- ¿Cuál es el personaje (real, histórico o fantástico) más característico de tu país?
- ¿Cómo es?
- ¿Qué simboliza?

2. Mundo inca

Test sobre el mundo inca. ¿Qué sabes?

	V	F
1 - La capital del mundo inca era Cuzco.	☐	☐
2 - El Machu Picchu está a 8.000 pies de altura.	☐	☐
3 - El Machu Picchu está en Argentina.	☐	☐
4 - Moctezuma fue el último rey inca.	☐	☐
5 - Su lengua era el español.	☐	☐
6 - Tenían, como los aztecas, un sistema de escritura.	☐	☐
7 - Los países que incluyen el mundo inca son: Perú, Chile y Ecuador.	☐	☐
8 - «Inca» significa ´rey` o ´príncipe`.	☐	☐
9 - La sociedad inca se organizaba alrededor de la familia.	☐	☐
10 - Tenían un sistema numérico para contar.	☐	☐

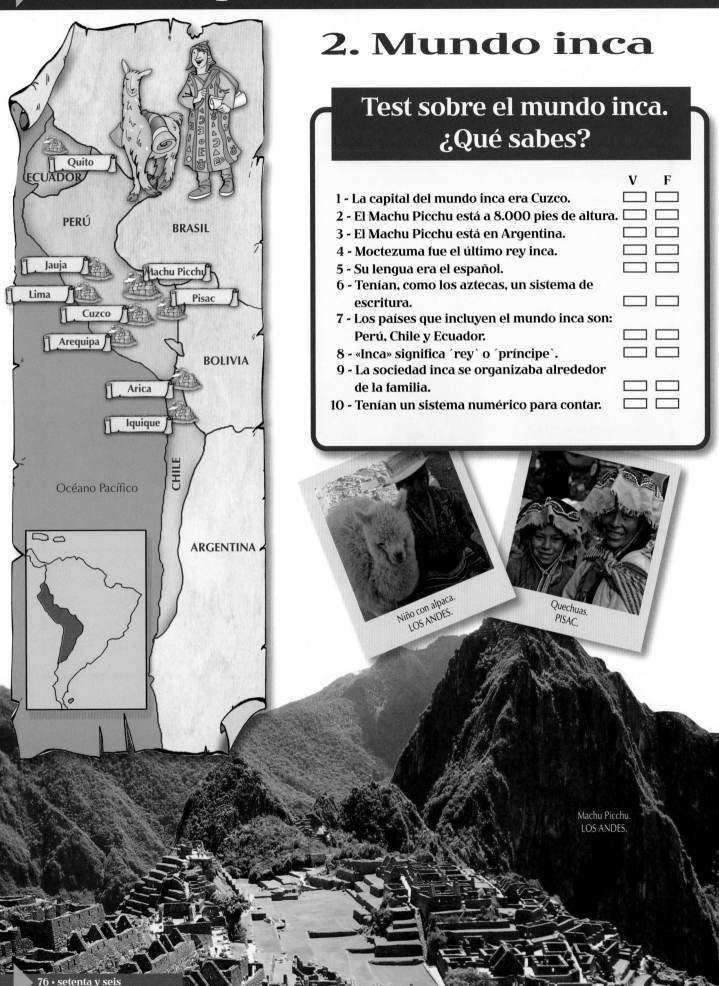

ECUADOR — Quito

PERÚ

BRASIL

Jauja

Machu Picchu

Lima

Pisac

Cuzco

Arequipa

BOLIVIA

Arica

Iquique

CHILE

Océano Pacífico

ARGENTINA

Niño con alpaca. LOS ANDES.

Quechuas. PISAC.

Machu Picchu. LOS ANDES.

Piedra de los doce ángulos.
CUZCO.

Ciudadela.
MACHU PICCHU.

Ruinas del templo.
PISAC.

Vista general.
MACHU PICCHU.

Fortaleza inca.
SACSAHUAMÁN.

Vista del valle y el río Urubamba.
VALLE SAGRADO.

Músico tradicional quechua.
PISAC.

Fortaleza inca.
SACSAHUAMÁN.

Plaza central y terrazas.
MACHU PICCHU.

Presentación

Los incas formaron un gran imperio en los Andes, que hacia 1525 se extendía por la actual Colombia, Ecuador, Perú y Bolivia, y por zonas del norte de Argentina y Chile. En total era una zona de más de 4.000 km a lo largo de la costa occidental de Sudamérica. Se cree que en esta región vivía una población de entre 3,5 y 16 millones de personas de distintas culturas andinas.

A finales del siglo XV, justo antes de la llegada de los españoles, establecieron su capital en Cuzco (actual Perú), después de someter a otros pueblos. Los incas construyeron grandes ciudades con enormes piedras que se sostenían por sí solas. Las más conocidas son Cuzco, Machu Picchu y Pisac.

- Cuzco: fue la capital del Imperio Inca. De su centro, salían los caminos que llevaban a las cuatro grandes regiones del Imperio. En la actualidad se conservan restos de la ciudad indígena, como la gran fortaleza del Sacsahuaman.
- Machu Picchu: construida seguramente después de 1450, está en lo alto de una montaña en los Andes, en el actual Perú, a unos 8.000 pies de altura. Dos de los edificios más importantes son la Casa de la Ñusta, una posible zona de baños, y el famoso Intihuatana, u observatorio astronómico.
- Pisac: es otra impresionante ciudad-fortaleza situada en una colina cerca del pueblo del mismo nombre, en Perú. En ella se conservan ruinas de palacios, fortalezas, templos y cementerios.

«Inca» es una palabra quechua que significa ´rey` o ´príncipe`. El pueblo inca creó un sistema administrativo muy eficaz. La sociedad se organizaba por grupos familiares (ayllu) que se ayudaban mutuamente en los trabajos cotidianos. La máxima autoridad era el inca, adorado como un dios viviente. Además:
- no conocían ni la moneda ni el mercado;
- no tenían sistema de escritura;
- tenían un complejo sistema de cuentas llamado «quipu».

El Imperio Inca empezó alrededor de 1450 y duró poco más de un siglo. En 1572 murió asesinado el último de sus reyes, Túpac Amaru.

Actividades

1. Haz el test.
2. Lee el texto y observa las fotos.
3. Comprueba tus respuestas del test.

Prepara tu examen

Comunicación

Describir objetos

Es pequeño y ligero.

Funciona con batería.

Sirve para hablar a distancia.

Indicar la utilidad de un objeto

El móvil sirve para comunicarse con otras personas.

Es un objeto que se usa para llamar en cualquier momento y desde cualquier lugar.

Hablar de forma impersonal

Son objetos de los que se pueden hacer copias.

Las llaves se hacen en las ferreterías.

Expresar la opinión

Creo que es un objeto importante.

No creo que existan los extraterrestres.

Exponer ventajas

Para mí, Internet es muy útil. Primero, porque puedes informarte de todo desde tu casa. Además, es muy barato. Por otra parte, gracias a Internet podemos conocer muchas cosas de otros países sin viajar.

Gramática

Ser + adjetivo

Es redondo.
Es ancho.
Es silencioso.

El pronombre *se*

El pan se compra en la panadería.
Los medicamentos son productos con los que se curan las enfermedades.

El presente de subjuntivo

▶ Verbos regulares: *hablar > hable, comer > coma, escribir > escriba.*
▶ Verbos irregulares: *dar > dé, ir > vaya, saber > sepa, ser > sea, tener < tenga...*

Pienso / Creo que + indicativo, No creo que + presente de subjuntivo

Pienso que la cámara digital es un gran invento.
No creo que el bolígrafo sea el invento más importante, pero sí es el más útil.

Vocabulario

▶ Objetos e inventos

el anorak
el bolígrafo
la brújula
la calculadora
el calendario
la cámara
las cerillas

la cinta
el estuche
la goma
el helicóptero
las herramientas
la imprenta
el jabón

la lata
la llave
los medicamentos
el microscopio
el móvil
la nevera
la pila eléctrica

el reloj
la rueda
el teléfono
la televisión
las tijeras
el vaso

▶ Adjetivos para describir objetos

▸ adhesivo/a
▸ ancho/a
▸ blando/a
▸ corto/a
▸ cuadrado/a
▸ duro/a
▸ estrecho/a
▸ fino/a

▸ frágil
▸ grande
▸ grueso/a
▸ largo/a
▸ lento/a
▸ ligero/a
▸ ovalado/a
▸ pequeño/a

▸ pesado/a
▸ plano/a
▸ plegable
▸ portátil
▸ puntiagudo/a
▸ rápido/a
▸ rectangular
▸ redondo/a

▸ rugoso/a
▸ ruidoso/a
▸ silencioso/a
▸ suave
▸ triangular

▶ Sustantivos y expresiones para describir objetos

▸ la batería
▸ el cartón
▸ el cristal
▸ la electricidad
▸ la gasolina

▸ la lana
▸ la madera
▸ el metal
▸ el papel
▸ las partes

▸ la piel
▸ las pilas
▸ el plástico
▸ la tela

▶ Los verbos

▸ abrir
▸ borrar
▸ cerrar
▸ conservar
▸ construir

▸ cortar
▸ crear
▸ fabricar
▸ grabar
▸ hacer

▸ idear
▸ imaginar
▸ inventar
▸ patentar
▸ protegerse

▸ realizar
▸ registrar
▸ retratar
▸ servir
▸ usar

▸ utilizar

Evalúa tus conocimientos.

1.

■ mal
■ regular
■ bien
■ muy bien

COMPRENDO UN TEXTO ESCRITO: DOS INVENTOS ESPAÑOLES.

Lee el texto. Después marca si las frases son verdaderas o falsas.

La grapadora y el afilalápices

Fue una empresa fabricante de armas la que nos dio estos dos inventos tan poco marciales. En 1920 se fundó en Éibar (Guipúzcoa) una sociedad denominada «El Casco», cuya inicial actividad se centró en la producción de revólveres, destinados principalmente a la exportación. A partir de 1929, la crisis económica mundial obligó a «El Casco» a reconvertirse, lo que hizo que, a mediados de los años treinta, sus socios fundadores lanzaran al mercado la grapadora, diseñada por ellos mismos (Juan Solozábal y Juan Olive). El afilalápices llegó en 1945, creado por Ignacio Urresti. El primer modelo de este tenía un peso de algo menos de kilo y medio, y parece una mezcla entre un molinillo de café y una cámara fotográfica de visor vertical.

	V	F
1. La empresa que inventó la grapadora y el sacapuntas fabricaba armas.	☐	☐
2. La empresa siempre se dedicó a fabricar el mismo tipo de productos.	☐	☐
3. Lo primero que inventaron fue el sacapuntas y, después, la grapadora.	☐	☐
4. El primer sacapuntas no se podía llevar en el bolsillo.	☐	☐
5. La empresa que creó estos dos inventos se llama «El Casco».	☐	☐

2.

(13) **COMPRENDO UN TEXTO ORAL: UN CONCURSO DE INVENTOS.**

■ mal
■ regular
■ bien
■ muy bien

a. Escucha a estos estudiantes proponiendo inventos y marca los que mencionan.

☐ Un libro parlante   ☐ Una película personalizada
☐ Un profesor automático   ☐ Un robot doméstico
☐ Un robot guía   ☐ Una silla para minusválidos

b. Escucha de nuevo y anota para qué sirve cada invento.

1. Un .... que ....
2. Una .... que ....
3. Un .... que ....
4. Un .... que ....

3.

ESCRIBO: DESCRIBO UN APARATO.

■ mal
■ regular
■ bien
■ muy bien

Elige uno de estos inventos españoles y descríbelo.

4.

HABLO: DECIDO CUÁL ES EL MEJOR INVENTO DE LA HUMANIDAD.

■ mal
■ regular
■ bien
■ muy bien

Piensa en cuál es el invento más importante para la humanidad desde tu punto de vista. Anota algunos argumentos a favor de tu idea. Habla con tu compañero y discútelo. Intenta convencerlo.

Módulo 6

▶ Después del instituto

Acción

Decides tu futuro

Competencia pragmática

▶ Eres capaz de...

- ›› Describirte a ti mismo para orientarte profesionalmente.
- ›› Narrar las actividades cotidianas y relacionarlas.
- ›› Hablar de actividades futuras e indicar el momento en que van a ocurrir.
- ›› Programar actividades.
- ›› Hacer sugerencias y recomendaciones y reproducir las que hacen otras personas.
- ›› Indicar la finalidad.
- ›› Presentar una profesión.

Competencias lingüísticas

Competencia gramatical

▶ Aprendes...

- ›› La oración temporal con cuando + indicativo o subjuntivo.
- ›› Verbos para transmitir sugerencias.
- ›› El presente de subjuntivo en el estilo indirecto.
- ›› La oración final con para + infinitivo o para que + subjuntivo.

Competencia léxica

▶ Conoces...

- ›› Las profesiones y sus características.
- ›› Los adjetivos para describir la personalidad.

Conocimiento sociocultural

▶ Mundo hispano...

- ›› Descubre Argentina.
- ›› Presentación del mundo maya.

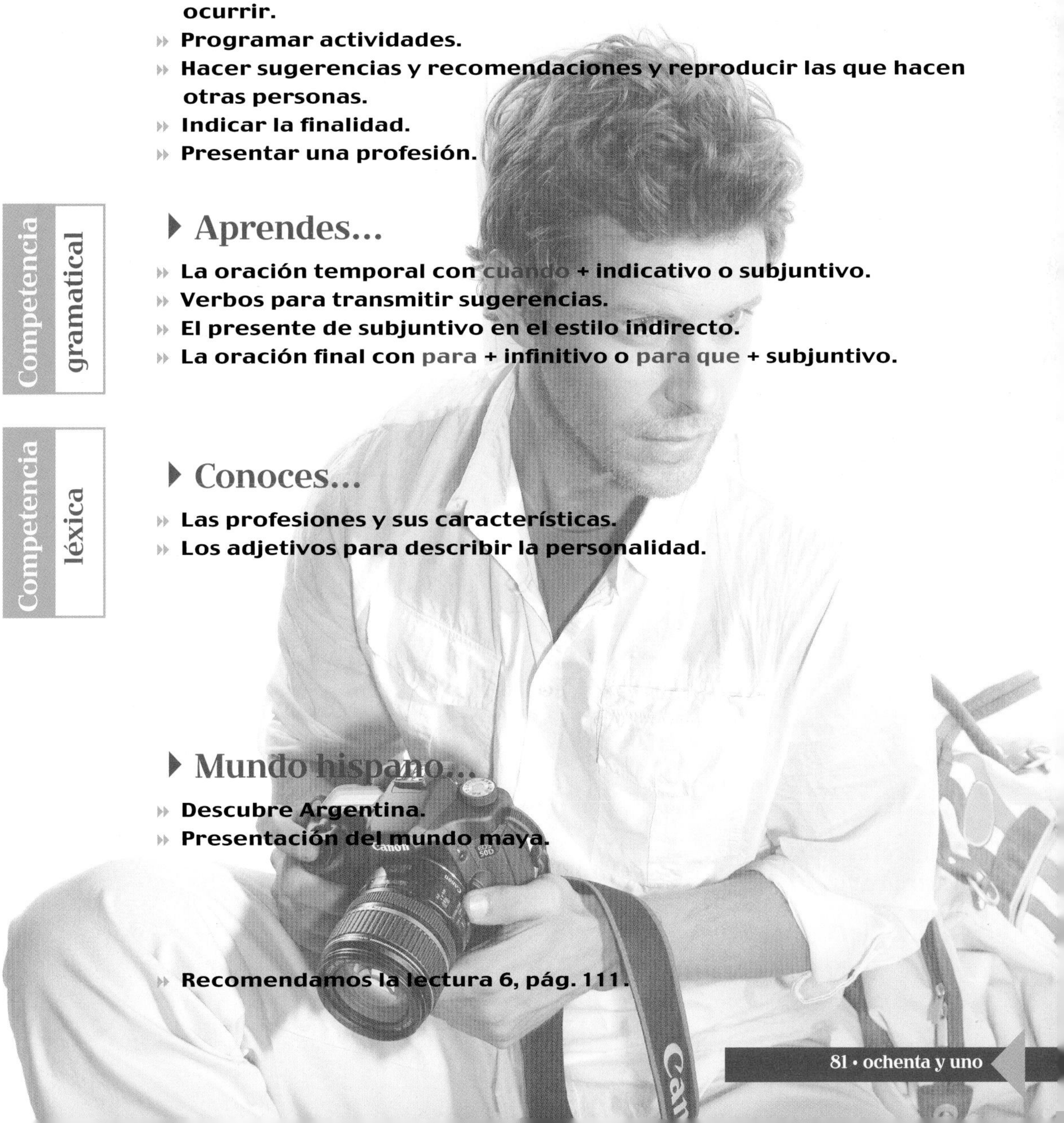

Recomendamos la lectura 6, pág. 111.

ESCUCHA Y HABLA

lección

11

Elegir una profesión

AUDICIÓN

Ahora que estás terminando los estudios y que tienes que pensar qué vas a hacer, quizás te resulta difícil decidir qué quieres hacer, qué profesión elegir. Vamos a ayudarte.

1 ## Virginia quiere ser fotógrafa.

a. Escucha y ordena los pasos que quiere dar.

> Hacer una exposición.

> Practicar y tener experiencia.

> Conseguir un contrato de una revista.

> Terminar el instituto.

> Hacer un curso de fotografía.

> Virginia quiere ser fotógrafa. Cuando termine el instituto, hará un curso de fotografía. Cuando...

b. Escribe frases como en el ejemplo.

2 ## Los consejos del tutor de Virginia.

Escucha la conversación y contesta a estas preguntas.

Cursos de fotografía

1. ¿Qué le pide Virginia a su tutor?

2. ¿Cuántos consejos le da él? ¿Cuáles?

3. ¿Qué le pide su tutor al final de la conversación?

3 ## Los consejos de amigos y familiares.

Lee los bocadillos y completa las frases.

> Busca información en Internet.

> Piensa bien lo que quieres.

> No escuches a los demás. Elige según tus gustos.

> Sé médico como yo, como tu abuelo.

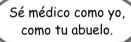

> ¿Nos informamos juntos?

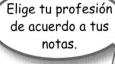

> Elige tu profesión de acuerdo a tus notas.

Su profesor le aconseja que...

Su padre le pide que...

Una amiga le sugiere que...

Su madre le ruega que...

Su novia le prohíbe que...

Su hermano le propone que...

Su mejor amigo le anima a que...

> Haz una lista de lo que te gusta.

Práctica

HABLAR DE ACCIONES HABITUALES

Cuando + presente de indicativo, presente
Cuando tengo algo que hacer, pienso las ventajas y los inconvenientes.

HABLAR DE ACCIONES FUTURAS

Cuando + presente de subjuntivo, futuro
Cuando tenga que elegir mi profesión, me pondré una meta alta.

4 ## Ayuda a estos chicos a poner en orden sus ideas.

Ordena los pasos y forma las frases.

Rubén, veterinario.

| Tener una consulta. | Empezar a trabajar. | Salir de la facultad. | Acabar la carrera. | Aprobar los exámenes. |

Matilde, enfermera.

| Trabajar en una ONG. | Estudiar Enfermería. | Hacer el examen de entrada en la universidad. | Conseguir la experiencia suficiente. | Trabajar en un hospital. |

Víctor, bombero.

| Aprobar un examen de ingreso. | Hacer unas pruebas físicas. | Hacer un curso. | Obtener el certificado de aptitud. | Empezar un periodo de prácticas. |

INDICAR LA FINALIDAD

Para que + subjuntivo
Cada verbo se refiere a una persona diferente.
Llamo al veterinario para que cure a mi perro.
(Llamo > yo / cure > el veterinario).

Para + infinitivo
Los verbos se refieren a la misma persona.
El estudiante disecciona a los ratones para estudiarlos.
(El estudiante disecciona y estudia a los ratones).

5 ## Ser enfermera para ayudar a los demás.

Escucha esta conversación, relaciona y conjuga los verbos en presente de subjuntivo.

1. Matilde le da unas revistas a doña Dolores
2. Matilde va a llamar a la enfermera
3. Se queda con doña Dolores
4. Matilde pone la tele
5. Doña Dolores le da una carta a Matilde
6. Doña Dolores le da bombones a Matilde

para que

a. la (echar) _____ al buzón.
b. no (estar) _____ sola.
c. no (aburrirse) _____ .
d. (probarlos) _____ .
e. doña Dolores (poder) ____ ver la telenovela.
f. (darle) ____ unas pastillas a doña Dolores.

conversación

Decide qué hacer.

6 Piensa qué profesión quieres tener. Con tu compañero, piensa en los pasos que tienes que dar y la finalidad de cada uno. Organiza tu formación.

Cada persona tiene un carácter determinado, unos gustos. Por eso, para poder elegir la profesión que más te conviene es necesario que te conozcas muy bien. Este test te puede ayudar.

Responde a estas preguntas y después mira las soluciones. ¿Estás de acuerdo?

Test joven

1. ¿Cómo eres?
- ☐ Soy muy sensible y solidario.
- ☐ Soy bastante reservado. No me gusta mucho hablar de mí mismo.
- ☐ Soy muy extrovertido. Me encanta organizar fiestas.
- ☐ Soy muy sociable.
- ☐ Soy muy competitivo.

A, B, G
I, D
F, E
F, C
H

2. ¿Cómo actúas normalmente?
- ☐ Soy muy ordenado y me gusta organizar las cosas.
- ☐ Soy desordenado.
- ☐ Cuando tengo que hacer algo, miro bien las ventajas y los inconvenientes.
- ☐ Soy muy impulsivo. Siempre improviso.

A, D, G, H
C, E, F, I
A, D, G
B, C, E, F, H

3. ¿Cuál es tu relación con los demás?
- ☐ Tengo muchos amigos y me gusta planificar nuestras actividades.
- ☐ Mis amigos confían mucho en mí. Cuando tienen un problema, me lo cuentan.
- ☐ Para mí, mi familia y mis amigos son muy importantes. Por eso paso mucho tiempo con ellos.
- ☐ Practico deportes competitivos y, claro, cuando juego, prefiero ganar.
- ☐ Soy muy alegre y contagio mi alegría a mis amigos y familiares.
- ☐ Odio la monotonía, siempre quiero hacer cosas diferentes.

A, G
B, D
C, F
A, H
E, I
C, E, G

4. ¿Cuáles son tus ideas y tus proyectos?
- ☐ Para mí es muy importante superarme, asumir riesgos. Cuando tenga que elegir mi futuro, me pondré una meta alta.
- ☐ Cuando mis amigos me necesiten, podrán confiar en mí.
- ☐ Me gustan las novedades y las actividades creativas.
- ☐ Soy perfeccionista y constante. Cuando decida mi futuro, trabajaré por él.
- ☐ Tengo muchas ideas y muchos sueños, pero sé que no todos se realizarán.

A, E
B, F
C, E, I
D, H
D, I

Suma el número de respuestas que tienes en cada letra. ¿Cuál es la tuya?

A. Líder
Hombre de negocios, profesor o político

B. Afectivo
Fotógrafo, peluquero o diplomático

C. Artista
Cantante, bailarín, pintor o actor

D. Trabajador
Ingeniero, científico o vendedor

E. Aventurero
Periodista o arqueólogo

F. Solidario
Bombero, socorrista o farmacéutico

G. Filósofo
Detective o psicólogo

H. Triunfador
Abogado, diseñador o director general

I. Soñador
Trabajador de una ONG

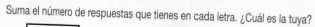

1 Vocabulario

a. Escribe todos los adjetivos de carácter del texto y clasifícalos en positivos o negativos según tu opinión. Después, relaciona los contrarios.

Positivos	Negativos

b. De los adjetivos de la lista anterior que no tengan contrario, escríbelos. De los adjetivos que no sea posible dar un contrario, explica qué es lo contrario.

2 Comprensión

Descríbete a ti mismo.

3 Análisis

Explica qué es tener un carácter…

Líder

Soñador

Trabajador

Triunfador

Solidario

Aventurero

Filósofo

Taller creativo

▶ **Tu cuestionario orientativo**

4 Crea tu cuestionario
a. Con tu compañero, piensa en una profesión y sus características.
b. Elabora una lista de cualidades que debe tener una persona de esa profesión.
c. Analiza las situaciones laborales que puede vivir y las reacciones que tiene que tener.
d. Elabora un test para saber si una persona es un buen candidato para el puesto.
e. Hazles el test a algunos compañeros y observa sus respuestas.

Profundiza

1 ¿Cuándo vas a hacer esto?

Lee los diálogos y, luego, relaciona y termina las frases.

1. Marta y Javier irán a la piscina   cuando (terminar) _____ de leerlo.
2. Cristina llamará a José   cuando (recoger) _____ su habitación.
3. Lucía prestará el cómic a Carlos   cuando (salir) _____ del instituto.
4. Raquel irá a casa de David   cuando su madre (volver) _____ de la compra.
5. Jaime verá el vídeo   cuando (llegar) _____ Natalia.

2 Frases condicionales.

Transforma las frases según el modelo.

Si me prestas tu diccionario, podré terminar el ejercicio.
Tienes que prestarme tu diccionario para que pueda terminar el ejercicio.

1. Si llamas a mi padre, nos llevará en coche a la playa el sábado.
_____

2. Si me das tu dirección, te mandaré una postal estas vacaciones.
_____

3. Si vamos a casa de Luis el domingo, nos enseñará a navegar por Internet.
_____

4. Si preparamos juegos para la fiesta, todos nuestros amigos se divertirán mucho.

acción

a. De mayor quiero ser...

1. Observa y di el nombre de estas profesiones.

Decides tu futuro

2. Elige tres profesiones y completa una ficha para cada una.

Para ayudarte

Es necesario que
- sea + cualidad (paciente, organizado...).
- le guste(n) + afición (los niños, viajar...).

Algunos verbos: enseñar, preparar, escribir, cortar, atender, cuidar, servir, diseñar, efectuar, proteger, investigar, estudiar, organizar, entrevistar, viajar, analizar, reparar, diagnosticar, vender, curar, idear, ayudar, asistir, elaborar, apagar, fabricar, instalar, redactar...

Cualidades indispensables para ejercerla
Actividades que realiza este profesional

3. Ahora, presenta tus fichas a la clase. Tus compañeros tienen que decir a qué profesionales corresponden.

Es necesario que sea amable y que me guste el contacto con la gente. Trabajo de pie. Sirvo comidas o bebidas.

El camarero.

Acción

- **Elige una profesión que te gustaría tener.**
- **Piensa por qué serías un buen profesional.**
- **Organiza los pasos que debes seguir para ser un buen profesional.**
- **Escribe un texto explicando tu futuro: qué vas a hacer y por qué.**

Descubre

La población crisol de razas

La población originaria

• Antes de la llegada de los españoles en 1527, todo el territorio –de Norte a Sur– estaba poblado por aborígenes: los *diaguitas* vivían en el Noroeste; los *comechingones* y los *sanavirones,* en las sierras; los *huarpes* y los *pehuenches,* en Cuyo y Neuquén; los *querandíes* y los *mapuches,* en el Chile actual; los tehuelches y los *onas,* en el Sur; los *pampas,* en La Pampa; los *tobas,* los *mocovíes* y los *abipones,* que ocupaban el Chaco; los *guaraníes,* que vivían en el Litoral.

Los criollos

• Con la llegada de los conquistadores y de los esclavos de África comenzó a formarse el «crisol de razas» que caracteriza a Argentina. Los mulatos –de padre español y madre negra o viceversa–, los mestizos –de padre español y madre indígena o viceversa– y los zambos –de padre negro y madre indígena o viceversa– forman un amplio grupo al que se reconoce como «criollos».

Los inmigrantes

• Desde 1857 hasta 1930 llegaron más de seis millones de inmigrantes a Argentina, de los cuales 3.685.000 se quedaron de manera permanente, lo que cambió la composición étnica de la población. La mayoría venía de Italia y España: hacia 1910, se registraron 1.000.000 de italianos, 700.000 españoles, 90.000 franceses, 70.000 rusos, 65.000 turcos, 35.000 austro húngaros, 20.000 alemanes y un número muy inferior de portugueses, suizos, belgas y holandeses. La llegada de italianos, que al comienzo del siglo XX eran el 45% del total de los inmigrantes, bajó a partir de 1910 y aumentaron los españoles, que en los diez años siguientes representaron la mitad de los recién llegados.

• Algunos inmigrantes llegaron en «colonias» para poblar regiones que estaban desérticas; otros se quedaron en la ciudad de Buenos Aires y se hospedaron, mayormente, en los conventillos y en el Hotel de los Inmigrantes, edificio que había sido construido para albergar específicamente a los grupos que llegaban. El primero que se edificó, en 1887, tenía espacio para 2.500 personas y, como el número de huéspedes generalmente duplicaba este límite, las condiciones de hospedaje eran malas. En 1911 se construyó un nuevo hotel con más capacidad y mejores servicios.

Integrantes de la Comunidad Toba. Provincia de Chaco.

[Pluricul turalidad]

- ¿Cuál es la procedencia de los habitantes de tu país?
- ¿Existen diferentes grupos étnicos?
- ¿Hay alguna minoría? ¿Cómo son?
- ¿De dónde son la mayoría de los inmigrantes de tu país?

3. Mundo maya

Test sobre el mundo maya. ¿Qué sabes?

	V	F
1 - El pueblo maya sigue vivo actualmente.	☐	☐
2 - El mundo maya incluye 4 países: Belice - Guatemala - México - Honduras.	☐	☐
3 - Su máximo esplendor tuvo lugar entre los siglos IV y X.	☐	☐
4 - Tenían un calendario.	☐	☐
5 - No sabían construir casas, ni templos.	☐	☐
6 - El Proyecto Mundo Maya tiene su sede central en México.	☐	☐
7 - ¿Todas estas ciudades pertenecen al Mundo Maya?: Tikal, Palenque, Chichén-Itzá, Copán, Cuzco, Altún Ha.	☐	☐
8 - Los mayas conocían la escritura.	☐	☐
9 - El templo del Sol está en Palenque.	☐	☐
10 - El templo del Gran Jaguar se encuentra en Palenque.	☐	☐

Detalle de muralla.
COPÁN.

Templo de Los Altares.
ALTÚN HA.

Templo de las Inscripciones.
PALENQUE.

Templo I o del Gran Jaguar.
TIKAL.

El observatorio de El Caracol.
CHICHÉN-ITZÁ.

Pirámide de El Adivino.
UXMAL.

Montes Azules.
RESERVA DE LA BIOSFERA.

Vivienda maya.
JOYA DE CERÉN.

Templo.
PALENQUE.

Pirámide del Castillo o Kukulkán.
CHICHÉN-ITZÁ.

Relieve en muralla.
COPÁN.

Templo del Sol.
PALENQUE.

El Castillo.
TULUM.

Presentación

Hay restos arqueológicos del Imperio Maya en cuatro países de habla hispana: México, Guatemala, Honduras y El Salvador; y en uno de habla inglesa: Belice.

En 1988 se creó el Proyecto Mundo Maya con la participación de estos cinco países. Todos juntos trabajan por la conservación de los conjuntos arqueológicos, las reservas naturales, el desarrollo del turismo, etc. Guatemala es la sede de la organización y Honduras tiene la secretaría ejecutiva.

El Imperio Maya fue muy extenso (más de 300.000 km^2) y tuvo su esplendor máximo desde el siglo IV al X.

Los mayas desarrollaron una civilización técnica y organizada, con división del trabajo por edad, sexo y clase social.
- Inventaron un calendario: su sistema numérico ya tenía el cero, pero no era decimal, sino vigesimal;
- practicaron la escritura jeroglífica;
- fueron excelentes arquitectos y escultores;
- construyeron más de 100 ciudades.

Los conjuntos más importantes de la cultura maya son:
-1. Palenque (Chiapas), 2. Uxmal (Pirámide del Adivino) y 3. Chichén-Itzá (Pirámide de El Castillo/Kukulkán, observatorio de El Caracol, Chac-Mool, Templo de los Guerreros) en México.
- 4. Tikal, el más impresionante, en Guatemala.
- 5. Copán, con inscripciones jeroglíficas, en Honduras.
- 6. Joya de Cerén (enterrada por las cenizas de los volcanes de Lomas de Caldera, se le llama «la Pompeya del Nuevo Mundo») en El Salvador.
- 7. Altún Ha, en Belice.

La naturaleza es un tesoro en el mundo maya: paisajes de enorme variedad, y flora y fauna únicas, reservas naturales como las del quetzal en Chiapas y en Guatemala, de Sian Ka'an, de los Montes Azules, de la biosfera maya, etc.

El pueblo maya sigue vivo hoy en día. Más de 5.000.000 de personas constituyen su población.

Actividades

1. Haz el test.
2. Lee el texto y observa las fotos.
3. Comprueba tus respuestas del test.

Prepara tu examen

Hablar de acciones habituales

> Cuando tengo tiempo, salgo a pasear y a tomar el sol.

> Normalmente meriendo cuando llego a clase.

Hablar de acciones futuras

> Cuando acabe la carrera, trabajaré en un hospital.

> Esta tarde, cuando termine la clase, voy a hacer los deberes.

Dar instrucciones y consejos

> Te aconsejo que hables con tu profesor.

> Te recomiendo que practiques más español.

Indicar finalidades

> Te doy una pastilla para que no te duela la cabeza.

> Luis va a clases de pintura para aprender a dibujar.

> Este libro es para ti, para que aprendas español.

Gramática

La oración temporal con *cuando* + indicativo / subjuntivo

- *Cuando vas de viaje, siempre haces muchas fotos.*
- *Cuando tenga dinero, me compraré una bicicleta nueva.*

Decir / pedir / aconsejar... + presente de subjuntivo

- *Me piden que les entregue mi currículum y dos fotos.*
- *Te aconsejo que te prepares el examen con tiempo.*

La oración final con *para* + infinitivo / *para que* + subjuntivo

- *Mónica llama para avisar a sus padres del retraso.*
- *Escribo un correo para que me manden información.*

Vocabulario

▶ Adjetivos de carácter

- afectivo/a
- alegre
- artista
- aventurero/a
- competitivo/a
- constante
- desordenado/a
- extrovertido/a
- filósofo/a
- impulsivo/a
- líder
- monótono/a
- ordenado/a
- perfeccionista
- reflexivo/a
- reservado/a
- rutinario/a
- sensible
- sociable
- solidario/a
- soñador/-a
- trabajador/-a
- triste
- triunfador/-a

▶ Profesiones

- abogado/a
- actor / actriz
- arqueólogo/a
- bailarín / bailarina
- bombero/a
- cantante
- científico/a
- cocinero/a
- detective
- diplomático/a
- director/-a general
- diseñador/-a
- electricista
- enfermero/a
- farmacéutico/a
- fontanero/a
- fotógrafo/a
- hombre / mujer de negocios
- ingeniero/a
- panadero/a
- peluquero/a
- periodista
- pintor/-a
- político/a
- profesor/-a
- psicólogo/a
- socorrista
- trabajador/-a social
- vendedor/-a
- veterinario/a

▶ Actividades de preparación profesional

- acabar la carrera
- aprobar los exámenes
- conseguir un contrato
- empezar a trabajar
- hacer un curso
- hacer unas prácticas
- hacer una exposición
- obtener un certificado
- practicar
- tener experiencia
- terminar el instituto

▶ Actividades profesionales

- analizar
- apagar
- asistir
- atender
- ayudar
- cortar
- cuidar
- curar
- diagnosticar
- diseñar
- efectuar
- elaborar
- enseñar
- entrevistar
- escribir
- estudiar
- fabricar
- idear
- instalar
- investigar
- organizar
- preparar
- proteger
- redactar
- reparar
- servir
- vender
- viajar

1. COMPRENDO UN TEXTO ESCRITO: CÓMO ELEGIR UNA PROFESIÓN.

☐ mal
☐ regular
☐ bien
☐ muy bien

Lee el texto. Después ordena las recomendaciones que te dan.

Consejos para elegir una profesión

Muchos estudiantes, cuando terminan en el instituto, se enfrentan al reto de elegir unos estudios pensados para el ejercicio profesional. Pero elegir no es fácil, sobre todo cuando lo que se pretende es desarrollar una vocación, y que, además, tenga una salida en el mercado de trabajo. Por ello, vamos a dar unos consejos, pensados para estudiantes que no saben qué hacer con su futuro, para que sean capaces de escoger con acierto unos estudios que les permitan desarrollar con éxito una profesión.

1. Reflexiona sobre cuáles son tus intereses (el arte, las ciencias, las actividades al aire libre, el servicio a los demás, etc.) y valóralos antes de elegir.
2. Sé realista, y según hayan sido las preferencias escolares (las notas de la ESO, por ejemplo o cuáles han sido las asignaturas que más te han gustado). Así, se trata de conjugar las aptitudes intelectuales con los intereses profesionales.
3. Conoce en qué consiste el ejercicio de la profesión que más te gusta, para ello, puedes hablar con profesionales en activo o leer sobre el tema.
4. Intenta contactar con agentes sociales o afiliados a sindicatos, cámaras de comercio y otras instituciones para saber sobre el mercado de trabajo.
5. Analiza todas las posibilidades para la formación, también se dan muchas oportunidades de empleo al terminar los estudios de formación profesional, algunas de las especialidades se caracterizan por las altas tasas de empleo entre sus titulados.
6. No hay que dejarse llevar por las presiones familiares o los consejos de terceras personas, sino que se debe pensar sobre cuáles son los intereses y la trayectoria académica.

http://www.ugt.es/juventud/

☐ Conoce todas las posibilidades de estudio. Hay muchas.
☐ Habla con personas que trabajan en alguna de las profesiones que te gustan.
☐ Infórmate de las posibilidades de trabajo.
☐ Piensa en tus gustos.
☐ Ten en cuenta las notas que has obtenido.
☐ Una vez oído a todos, toma tú tu decisión libremente.

2. (15) COMPRENDO UN TEXTO ORAL: DESCRIPCIÓN DE UNA PROFESIÓN.

☐ mal
☐ regular
☐ bien
☐ muy bien

a. Escucha: ¿de qué profesión hablan?

b. Escucha otra vez: ¿qué tiene que hacer para prepararse?

3. ESCRIBO: TU PERSONALIDAD Y TUS GUSTOS PARA ELEGIR UNA PROFESIÓN.

☐ mal
☐ regular
☐ bien
☐ muy bien

Piensa en tu carácter, en tus gustos. Piensa también en las notas que has tenido en el instituto. ¿Qué asignaturas se te dan mejor y peor?
Elige una profesión y escribe un texto para explicar por qué quieres ser eso.

4. HABLO: AYUDA A TU COMPAÑERO A ELEGIR BIEN.

☐ mal
☐ regular
☐ bien
☐ muy bien

Pregunta a tu compañero qué profesión ha elegido. Hazle preguntas para saber si su elección es correcta. En caso negativo, dale consejos y justifícalos.

Anaconda

Horacio Quiroga

Versión adaptada por
A. González Hermoso

Lectura 1

1   E ran las diez de la noche y hacía mucho calor. El cielo estaba cubierto de nubes sobre la **selva**[1]. No había viento. En el cielo negro se veían de vez en cuando **relámpagos**[2] de un extremo a otro del horizonte.

Por un **sendero**[3] de vacas avanzaba Lanceolada, con la lentitud propia de las **víboras**[4]. Era una hermosísima serpiente de un metro cincuenta. Avanzaba **tanteando**[5] la seguridad del terreno con la **lengua**[6]. En las serpientes la

5   lengua sustituye perfectamente a los dedos.

Iba de caza[7]. Al llegar a un **cruce**[8] de senderos **se detuvo**[9] y esperó inmóvil durante cinco horas. Después de este tiempo continuaba en igual inmovilidad. ¡Mala noche! Comenzaba a nacer el día e iba a marcharse, cuando cambió de idea. Sobre el cielo se extendía una inmensa sombra.

-Quiero pasar cerca de la Casa -se dijo la serpiente-. Hace días que oigo ruido y hay que **estar alerta**[10]...

10   Y marchó prudentemente hacia la sombra.

La casa de la que hablaba Lanceolada era un viejo edificio todo blanco.

Desde hacía muchísimo tiempo en el edificio no vivía nadie. Ahora se oían ruidos **insólitos**[11] y otras cosas que hacían pensar en la presencia del Hombre. Mala cosa...

Pero era necesario estar segura y Lanceolada se dio cuenta de eso antes de lo que pensaba.

15   Un ruido de puerta abierta llegó a sus oídos. La víbora levantó la cabeza y vio una sombra alta y robusta que avanzaba hacia ella. Oyó también el ruido de los pasos que anunciaba al enemigo.

-¡El Hombre! -murmuró Lanceolada. E inmediatamente **se puso en guardia**[12].

La sombra estaba sobre ella. Un enorme pie cayó a su lado. La serpiente, con toda la violencia de un ataque, lanzó la cabeza contra el pie.

20   El hombre se detuvo: había creído sentir un golpe en las botas. Miró la hierba a su alrededor sin mover los pies de su lugar. Pero no vio nada en la oscuridad y siguió adelante.

Lanceolada vio que la Casa comenzaba a vivir esta vez de verdad con la vida del Hombre. La serpiente se fue pensando que lo que acababa de pasar era el **prólogo**[13] de un gran drama.

---

[1] *selva:* terreno extenso y muy poblado de árboles.
[2] *relámpago:* descarga eléctrica durante la tormenta.
[3] *sendero:* camino estrecho.
[4] *víbora:* serpiente venenosa con cabeza triangular.
[5] *tantear:* verificar, comprobar; tocar con los dedos o con los pies.
[6] *lengua:* órgano muscular situado en la boca que sirve para articular los sonidos de la voz.
[7] *ir de caza:* ir a matar animales.

[8] *cruce:* aquí, punto donde se juntan los caminos.
[9] *se detuvo:* del verbo *detenerse* = pararse.
[10] *estar alerta:* ponerse en guardia.
[11] *insólito:* que ocurre pocas veces.
[12] *ponerse en guardia:* prestar mucha atención, ponerse en actitud defensiva.
[13] *prólogo:* principio.

1   **A**l día siguiente la primera preocupación de Lanceolada fue el peligro que representaba la llegada del Hombre para la Familia entera. Hombre y **Devastación**[14] son sinónimos desde siempre en el Pueblo entero de los Animales. Para las víboras en particular, el desastre tenía dos nombres: el **machete**[15] y el fuego.

Era pues urgente prevenir el peligro. Lanceolada esperó la nueva noche para ponerse en marcha. Sin gran trabajo
5   encontró a dos compañeras que **lanzaron la voz de alarma**[16]. Ella, por su parte, recorrió hasta las doce los lugares más indicados para celebrar un encuentro. De esta manera, a las dos de la mañana el **Congreso**[17], con la mayoría de las especies, se encontraba reunido para decidir lo que se haría.

En la base de un **murallón**[18] de piedra, de cinco metros de altura, y en pleno bosque existía una **caverna**[19], detrás de las hierbas que impedían casi la entrada. Servía de **guarida**[20] desde hacía mucho tiempo a Terrífica,
10   una **serpiente de cascabel**[21] muy vieja. Su **cola**[22] tenía treinta y dos **cascabeles**[23]. Tenía sólo un metro cuarenta de largo, pero era muy gruesa y era una magnífica serpiente capaz de quedarse siete horas en el mismo lugar frente al enemigo.

Allí fue donde se reunió el Congreso de las Víboras con la víbora de cascabel como presidente. Estaban allí además de Lanceolada y Terrífica las otras serpientes del país: la pequeña Coatiarita, la más joven de la Familia.
15   Estaba allí Neuwied, de una gran belleza. Estaba Cruzada, rival de Neuwied por la belleza del dibujo. Estaba Atroz, con su terrible nombre; y por último, Urutú Dorado, de ciento sesenta centímetros, disimulada discretamente en el fondo de la caverna.

Hay que decir que las especies que estaban en el Congreso, menos Terrífica, son viejas rivales entre ellas por la belleza del dibujo y el color.
20   Según las **leyes**[24] de las víboras, ninguna especie poco abundante puede presidir las **asambleas**[25] del Imperio. Por eso Urutú Dorado, magnífico animal de muerte, no pretendía este honor pues es una especie más bien **rara**[26]. Y era la víbora de cascabel, más débil, pero más abundante, la que presidía.

El Congreso estaba, pues, en mayoría, y Terrífica abrió la sesión.

-¡Compañeras! -dijo-. Nos hemos enterado por Lanceolada de la presencia del Hombre. Creo interpretar el deseo
25   de todas nosotras de tratar de salvar nuestro Imperio de la invasión enemiga. Todas sabemos que abandonar el terreno no sirve de nada. Sólo tenemos un medio y este medio es la guerra total al Hombre. No soy ahora una serpiente de cascabel: soy una serpiente como vosotras y con un punto común que es la muerte. ¡Nosotras somos la

---

[14] *devastación:* destrucción.
[15] *machete:* cuchillo grande que se utiliza para abrirse paso en los bosques y selvas.
[16] *lanzar la voz de alarma:* avisar de un peligro.
[17] *congreso:* reunión de varias personas para decidir algo.
[18] *murallón:* muralla, muro.
[19] *caverna:* cueva.
[20] *guarida:* refugio para los animales.

[21] *serpiente de cascabel:* tipo de serpiente venenosa que tiene este nombre por unos anillos en su cola que hacen un ruido como el de un cascabel.
[22] *cola:* extremidad posterior de algunos animales.
[23] *cascabel:* en general, bola de metal que lleva dentro un pequeño objeto metálico que suena cuando se mueve; aquí, anillo de la serpiente de este nombre.
[24] *ley* (plural, *leyes*): regla, norma.
[25] *asamblea:* reunión de personas que pertenecen a una asociación para tratar de algo.
[26] *raro:* poco frecuente, escaso.

Muerte, compañeras! Mientras tanto, propongo que alguna de vosotras haga un plan de ataque.

Entonces Cruzada dijo:

30 -Soy de la opinión de Terrífica, y considero que sin un plan no podemos hacer nada. Lo que lamento es la falta en este Congreso de nuestras primas sin **veneno**[27]: las **Culebras**[28].

Hubo un largo silencio. Evidentemente, la **proposición**[29] no gustaba a las víboras. Cruzada sonrió y continuó:

-Lamento lo que pasa... Pero quisiera solamente recordar esto: si entre todas nosotras pretendemos vencer a una culebra, no lo **conseguiremos**[30]. Nada más quiero decir.

35 -Si es por su resistencia al veneno -dijo Urutú Dorado desde el fondo de la caverna- creo que yo sola podría con ellas...

-No se trata de veneno -replicó Cruzada-. Se trata de su fuerza, de su **destreza**[31]. Cualidades de lucha que tienen nuestras primas. **Insisto**[32] en que en nuestro ataque las culebras nos serán de gran utilidad.

Pero la proposición **desagradaba**[33] siempre.

-¿Por qué las culebras? -exclamó Atroz-. Son **despreciables**[34].

40 -Tienen ojos de **pescado**[35] -añadió Coatiarita.

-¡Me **dan asco**[36]! -protestó Lanceolada.

-Si te oyen las **Cazadoras**[37]... -murmuró irónicamente Cruzada.

Pero al oír este nombre, Cazadoras, la asamblea entera se agitó.

-¡No hay que decir eso! -gritaron-. ¡Ellas son culebras y nada más!

45 -¡Ellas se llaman a sí mismas las Cazadoras! -replicó secamente Cruzada-. Y estamos en Congreso.

También desde siempre es conocida entre las víboras la rivalidad particular de las dos serpientes: Lanceolada, hija del norte, y Cruzada, que vive más al sur.

-¡Vamos, vamos! -intervino Terrífica-. Cruzada explicará para qué quiere la ayuda de las culebras puesto que no representan la Muerte como nosotras.

50 -¡Para esto! -replicó Cruzada ya en calma-. Es necesario saber qué hace el Hombre en la casa. Para ello hay que ir hasta allá, a la casa misma. La cosa no es fácil, porque si nosotras representamos la Muerte, el Hombre también. Las culebras son mucho más ágiles que nosotras. Cualquiera de nosotras iría y vería. Pero ¿volvería?

Nadie mejor para esto que la Ñacaniná. Estas exploraciones forman parte de sus costumbres diarias. Ella podría, subida al **techo**[38], ver, oír y regresar a informarnos antes del día.

55 La proposición era muy razonable y esta vez la asamblea entera estuvo de acuerdo.

-¿Quién va a buscarla? -preguntaron varias **voces**[39].

-¡Voy yo! -dijo Cruzada-. En seguida vuelvo.

-¡Eso es! -le lanzó Lanceolada-. ¡Tú eres su protectora y la encontrarás en seguida!

---

[27] *veneno:* sustancia que introducida en un organismo provoca la muerte o graves problemas.

[28] *culebra:* nombre dado a todas las serpientes que no tienen veneno.

[29] *proposición:* acción de proponer.

[30] *conseguir:* lograr.

[31] *destreza:* habilidad.

[32] *insistir:* repetir varias veces.

[33] *desagradar:* no gustar.

[34] *despreciable:* digno de desprecio.

[35] *pescado:* pez sacado del agua.

[36] *dar asco:* dar una impresión desagradable y de repugnancia.

[37] *cazador:* que va de caza.

[38] *techo:* parte superior de una habitación o construcción.

[39] *voz* (plural, *voces*): sonido que se emite al hablar.

1 Cruzada encontró a la Ñacaniná cuando ésta subía a un árbol.

-¡Eh, Ñacaniná!

La Ñacaniná oyó su nombre; pero no contestó hasta una nueva **llamada**[40].

-¡Ñacaniná! -repitió Cruzada.

5 -¿Quién me llama? -respondió la culebra.

-¡Soy yo, Cruzada!

-¡Ah, la prima!... ¿Qué quieres, prima adorada?

-No se trata de **bromas**[41], Ñacaniná... ¿Sabes lo que pasa en la Casa?

-Sí, que ha llegado el Hombre... ¿Qué más?

10 -¿Y sabes que estamos en Congreso?

-¡Ah, no. Esto no lo sabía! -dijo la Ñacaniná-. Algo grave debe pasar para eso... ¿Qué ocurre?

-Por el momento, nada; pero nos hemos reunido en Congreso precisamente para evitar que nos ocurra algo. En dos palabras: se sabe que hay varios hombres en la Casa, y que se van a quedar definitivamente. Es la Muerte para nosotras.

15 -Yo creía que ustedes eran la Muerte misma... ¡No se cansan de repetirlo! -murmuró irónicamente la culebra.

-¡Dejemos esto! Necesitamos tu ayuda, Ñacaniná.

-¿Para qué? ¡Yo no tengo nada que ver aquí!

-¿Quién sabe? Te pareces bastante a nosotras, las Venenosas. Si defiendes nuestros intereses, defiendes los tuyos.

-¡Comprendo! -dijo la Ñacaniná.

20 -Bueno: ¿**contamos contigo**[42]?

-¿Qué debo hacer?

-Muy poco. Ir en seguida a la Casa, para ver y oír lo que pasa.

-¡No es mucho, no! -contestó Ñacaniná.

-Bueno, en marcha -añadió Cruzada-. Pasemos primero por el Congreso.

25 -¡Ah, no! -protestó la Ñacaniná-. ¡Eso no! ¡Os **hago** a vosotras **el favor**[43], y en paz! Iré al Congreso cuando

---

[40] *llamada:* acción de llamar.

[41] *broma:* burla sin mala intención.

[42] *contar contigo:* confiar en ti.

[43] *hacer el favor*: prestar ayuda a alguien de forma gratuita.

vuelva..., si vuelvo. Pero ver antes de tiempo la piel **rugosa**[44] de Terrífica, los ojos terribles de Lanceolada y la cara de **estúpida**[45] de Coralina. ¡Eso, no!

-No está Coralina.

-¡No importa! Con el resto tengo bastante.

30 -¡Bueno, bueno! -dijo Cruzada, que no quería insistir-. Pero si no vas más despacio, no te sigo.

-Quédate, ya estás cerca de las otras -contestó la culebra. Y se lanzó **a toda velocidad**[46], dejando en un segundo atrás a su prima Venenosa.

* * *

Un cuarto de hora después la Cazadora llegaba a su destino. Estaban todavía despiertos en la casa. Por las puertas, abiertas **de par en par**[47], se veía luz, y ya desde lejos la Ñacaniná pudo ver cuatro hombres sentados al-

35 rededor de la mesa.

Para llegar sin problemas había que evitar encontrarse con un perro. ¿Los habría? Mucho lo temía Ñacaniná. Por eso anduvo con cuidado, sobre todo cuando llegó al **corredor**[48].

Ni enfrente, ni a la derecha, ni a la izquierda había ningún perro. Sólo allá lejos la culebra podía ver, por entre las piernas de los hombres, un perro negro dormido en el suelo.

40 La plaza, pues, estaba libre. Como desde el lugar en que se encontraba podía oír, pero no verlo todo, la culebra subió por una escalera y se instaló en el espacio libre entre pared y techo. Pero un viejo clavo cayó al suelo y un hombre levantó los ojos.

-¡Se acabó! -se dijo Ñacaniná, conteniendo la respiración.

Otro hombre miró también arriba.

45 -¿Qué hay? -preguntó.

-Nada -dijo el primero-. Me pareció ver algo negro por allá.

-Una **rata**[49].

-O alguna ñacaniná.

Pero los hombres bajaron de nuevo la vista, y la Ñacaniná vio y oyó durante media hora.

* * *

50 La Casa se había convertido en establecimiento científico muy importante. Como había una gran riqueza de víboras en aquel **rincón**[50] del territorio, el Gobierno de la Nación había decidido la creación de un Instituto para preparar los **sueros**[51] contra el veneno de las víboras. La abundancia de éstas era un punto capital para la preparación del suero.

El nuevo establecimiento podía comenzar casi en seguida, porque contaba con dos animales, un caballo y una

55 **mula**[52], ya **en vías de**[53] completa **inmunización**[54]. Se había logrado organizar el laboratorio y un lugar para

---

[44] *rugoso:* que tiene asperezas.
[45] *estúpido:* imbécil.
[46] *a toda velocidad:* muy deprisa.
[47] *de par en par:* completamente abiertas.
[48] *corredor:* aquí, pasillo.
[49] *rata:* roedor de cabeza pequeña.

[50] *rincón:* aquí, lugar retirado.
[51] *suero:* sustancia que se inyecta para prevenir o curar ciertas enfermedades.
[52] *mula:* hija de caballo y burra.
[53] *en vías de:* en curso de, en camino de.
[54] *inmunización:* acción y efecto de inmunizar, proteger de una enfermedad.

guardar las serpientes llamado Serpentario. Este último prometía **enriquecerse**[55] de un modo sorprendente.

Un caballo, en su último grado de inmunización, necesita seis gramos de veneno en cada **inyección**[56] (cantidad suficiente para matar doscientos cincuenta caballos). Por eso eran necesarias muchas víboras.

Los primeros días de instalación en la selva, mantenían al personal superior del Instituto **en vela**[57] hasta media noche.

60 -Y los caballos, ¿cómo están hoy? -preguntó uno, de gafas negras, y que parecía ser el jefe del Instituto.

-Muy **caídos**[58] -dijo otro-. Si no podemos hacer una buena **recolección**[59] en estos días...

La Ñacaniná, inmóvil, ojos y oídos alerta, comenzaba a tranquilizarse.

-Me parece -se dijo- que las primas venenosas han tenido mucho miedo. De estos hombres no hay gran cosa que temer...

65 Y avanzando más la cabeza observó con más atención.

-Hemos tenido hoy un día malo -añadió alguno-. Cinco **tubos de ensayo**[60] se han roto...

La Ñacaniná se sentía cada vez más **inclinada**[61] a la compasión.

-¡Pobre gente! -murmuró-. Se les han roto cinco tubos...

Ya iba a abandonar su **escondite**[62] para explorar aquella inocente casa, cuando oyó:

70 -En cambio, las víboras están magníficas... Parecen estar bien en el país. Para ellas, sí, el lugar me parece ideal... Y las necesitamos urgentemente, los caballos y nosotros.

-Por suerte, vamos a cazar muchas víboras en este país. No hay duda de que es el país de las víboras.

-Hum..., hum..., hum... -murmuró Ñacaniná-, las cosas comienzan a ser un poco distintas... Hay que quedarse un poco más con esta buena gente... Se aprenden cosas curiosas.

75 Tantas cosas curiosas oyó, que cuando, después de media hora, quiso marcharse, hizo un falso movimiento, y una tercera parte de su cuerpo cayó.

La Ñacaniná, que puede alcanzar tres metros de largo, es valiente, la más valiente de nuestras serpientes. Resiste un ataque serio del hombre, que es mucho mayor que ella, y hace frente siempre. Como su propio **coraje**[63] le hace creer que es muy temida, nuestra culebra se sorprendió un poco al ver que los hombres se echaron a reír

80 tranquilos.

-Es una ñacaniná... Mejor; así nos **limpiará**[64] la casa de ratas.

-Pero una de estas noches la voy a encontrar buscando ratas dentro de mi cama...

Y cogió un **palo**[65] próximo y lo lanzó contra la ñacaniná. El palo pasó junto a la cabeza de la culebra.

Hay ataque y ataque. Fuera de la selva, y entre cuatro hombres, la Ñacaniná no se encontraba a gusto. Se marchó

85 rápidamente concentrando toda su energía en la velocidad para correr. Perseguida por el perro la culebra llegó a la caverna. Pasó por encima de Lanceolada y Atroz, y se echó a **descansar**[66], **muerta de fatiga**[67].

-¡Por fin! -exclamaron todas-. Creíamos que te ibas a quedar con tus amigos los Hombres...

[55] *enriquecerse:* hacerse rico; aquí, llenarse.
[56] *inyección:* acción de introducir con una aguja y una jeringuilla un líquido en un cuerpo.
[57] *en vela:* sin dormir.
[58] *caído:* aquí, débil.
[59] *recolección:* acción y efecto de recoger.
[60] *tubo de ensayo:* pequeño vaso de vidrio redondo que sirve para hacer experimentos.
[61] *inclinada:* aquí, dispuesta.

[62] *escondite:* lugar donde uno se esconde.
[63] *coraje:* valor.
[64] *limpiar (de algo):* eliminar.
[65] *palo:* trozo de madera, más largo que ancho.
[66] *descansar:* reposar para reponer fuerzas.
[67] *muerta de fatiga:* muerta de cansancio = muy cansada.

Lectura 4

1   Ñacaniná murmuró: ¡Hum!...

-¿Qué noticias nos traes? -preguntó Terrífica.

-¿Debemos esperar un ataque, o no tener en cuenta a los Hombres?

-Tal vez sea mejor esto... y pasar al otro lado del río- dijo Ñacaniná.

5   -¿Qué?... ¿Cómo?... -gritaron todas-. ¿Estás loca?

-Oíd primero.

-¡Cuenta entonces!

Y Ñacaniná contó todo lo que había visto y oído: la instalación del Instituto, sus planes, sus fines y la decisión de los hombres de **cazar**[68] todas las víboras del país.

10   -¡Cazarnos! -gritaron Urutú Dorado, Cruzada y Lanceolada, heridas en lo más vivo de su **orgullo**[69]-. ¡Matarnos, querrás decir!

-¡No! ¡Cazaros, nada más! Encerraros, daros bien de comer y **extraeros**[70] cada veinte días el veneno. ¿Queréis vida más dulce?

La asamblea quedó muy sorprendida. Ñacaniná había explicado muy bien el fin de la recolección del veneno; 15 pero no había explicado los medios para obtener el suero.

¡Un suero **antivenenoso**[71]! Es decir, la **curación**[72] segura, la inmunización de hombres y animales contra la **mordedura**[73]. La Familia entera condenada a morir de hambre en plena selva natal.

-¡Exactamente! -insistió Ñacaniná-. Sólo se trata de esto.

Para la Ñacaniná, el peligro previsto era mucho menor. Sin embargo, un solo punto oscuro veía ella, y es el 20 excesivo **parecido**[74] de una culebra con una víbora. Eso favorecía confusiones mortales. De aquí el interés de la culebra en suprimir el Instituto.

-Yo me ofrezco para empezar el ataque -dijo Cruzada.

-¿**Tienes un plan**[75]? -preguntó preocupada Terrífica, siempre sin ideas.

-Ninguno. Iré sencillamente mañana por la tarde a buscar a alguien.

25   -¡Ten cuidado! -le dijo Ñacaniná, con voz **persuasiva**[76]-. ¡Ah, me olvidaba! -añadió, dirigiéndose a Cruzada-. Hace un rato, cuando salí de allí... vi un perro negro... Creo que estaba buscando víboras... ¡Ten cuidado!

---

[68] *cazar:* aquí, buscar los animales para atraparlos.

[69] *orgullo:* exceso de estima propia.

[70] *extraer:* sacar.

[71] *antivenenoso:* contra el veneno.

[72] *curación:* acción de recobrar la salud.

[73] *mordedura:* acción de morder, de hincar los dientes en algo.

[74] *parecido:* similitud o semejanza.

[75] *tener un plan:* tener un proyecto para realizar algo.

[76] *persuasiva:* que aconseja y que convence.

-¡Bueno, veremos! Pido que se llame a Congreso pleno para mañana por la noche. Si yo no puedo estar, tanto peor...

Pero la asamblea se había llevado una nueva **sorpresa**[77].

-¿Un perro que nos está buscando?... ¿Estás segura?

30 -Casi. ¡Cuidado con ese perro, porque puede **hacernos** más **daño**[78] que todos los hombres juntos!

-Yo **me encargo de él**[79] -exclamó Terrífica.

Cada víbora **se dispuso**[80] a hacer correr la noticia en su territorio. A Ñacaniná se le encargó especialmente lanzar la voz de alarma a los árboles, **reino**[81] preferido de las culebras.

A las tres de la mañana la asamblea se terminó. Las víboras se fueron en distintas direcciones, silenciosas y
35 preocupadas. Mientras tanto, en el fondo de la caverna, la serpiente de cascabel permanecía inmóvil.

* * *

Era la una de la tarde. Por el campo de fuego **se arrastraba**[82] Cruzada hacia la Casa. No llevaba otra idea: al encontrarse con un hombre, matarlo. Llegó al corredor y se quedó allí, esperando. Pasó así media hora, cuando oyó un ruido. La puerta estaba abierta, y delante de la víbora, a treinta centímetros de su cabeza, apareció el perro.

-¡Maldita bestia!... -se dijo Cruzada-. Me gustaría más un hombre...

40 En ese instante el perro se detuvo y volvió la cabeza...

¡Demasiado tarde! El perro, mordido por la serpiente, movió **desesperadamente**[83] la cabeza.

-Éste ya está... -murmuró Cruzada-. Pero cuando el perro iba a lanzarse sobre la víbora, sintió los pasos de su **amo**[84]. El hombre de las gafas apareció junto a Cruzada.

-¿Qué pasa? -preguntaron desde el otro corredor.

45 -Una víbora... Buen ejemplar -respondió el hombre. Y antes de poder defenderse, la víbora se sintió **estrangulada**[85] en una especie de **prensa**[86] que **colgaba**[87] de un palo.

La serpiente, al verse así, lanzó su cuerpo a todos lados. Trató en vano de recoger el cuerpo en el palo. Imposible, le faltaba el famoso **punto de apoyo**[88] en la cola, el famoso punto de apoyo sin el cual una boa no puede hacer nada. El hombre la llevó colgando y la echó en el Serpentario.

50 Éste era un simple espacio de tierra rodeado con **chapas de cinc**[89], con algunas **jaulas**[90]. En él había treinta o cuarenta víboras. Cruzada cayó en tierra desesperada.

Un instante después, la serpiente se veía rodeada por cinco o seis compañeras que iban a reconocer su especie.

Cruzada las conocía a todas, excepto a una gran víbora que estaba en una jaula cerrada. ¿Quién era? Era absolutamente **desconocida**[91] para la serpiente. Curiosa a su vez se acercó lentamente.

55 Se acercó mucho y la otra se levantó. La gran víbora acababa de **hinchar**[92] el cuello **monstruosamente**[93]. Quedaba realmente extraordinaria así.

-¿Quién eres? -murmuró Cruzada-. ¿Eres de las nuestras?

---

[77] *sorpresa:* hecho inesperado.
[78] *hacer daño:* causar males, dolor.
[79] *encargarse de:* ocuparse de.
[80] *se dispuso:* pretérito del verbo disponerse = prepararse.
[81] *reino:* territorio donde se reina, domina.
[82] *arrastrarse:* moverse deslizándose por el suelo.

[83] *desesperadamente:* sin esperanza.
[84] *amo:* dueño.
[85] *estrangular:* apretar el cuello hasta impedir la respiración.
[86] *prensa:* aquí, aparato que sirve para comprimir, compuesto por dos elementos rígidos.
[87] *colgar:* poner algo en el aire sin que llegue al suelo.
[88] *punto de apoyo:* aquí, un lugar para ponerse encima.

[89] *chapa de cinc:* lámina delgada de cinc, metal de color blanco azulado.
[90] *jaula:* caja con barrotes para encerrar animales.
[91] *desconocida:* que no se conoce.
[92] *hinchar:* aquí, aumentar el volumen.
[93] *monstruosamente:* aquí, extraordinariamente.

Es decir, venenosa. La otra, convencida de que no había habido intención de ataque de la serpiente, se calmó.

-Sí -contestó-. Pero no de aquí; de muy lejos..., de la India.

60 -¿Cómo te llamas?

-Hamadrías... o **cobra**[94] real.

-Yo soy Cruzada.

-Sí, no necesitas decirlo. He visto muchas hermanas tuyas ya... ¿Cuándo te cazaron?

-Hace un rato... No pude matar al hombre. Pero maté al perro.

65 -¿Qué perro? ¿El de aquí?

-Sí.

La cobra real se echó a reír: el perro que creía haber matado estaba **ladrando**[95] ...

-¿Te sorprende, eh? -añadió Hamadrías-. A muchas les ha pasado lo mismo.

-Pero es que mordí en la cabeza... -contestó Cruzada-. ¡No me queda una gota de veneno! -concluyó.

70 -Para él es lo mismo.

-¿No puede morir?

-Sí, pero no por culpa nuestra... Está inmunizado. Pero tú no sabes lo que es esto...

-¡Sé! -dijo vivamente Cruzada-. ¡Ñacaniná nos lo contó!...

La cobra real la miró entonces atentamente.

75 -Tú me pareces inteligente...

-¡Tanto como tú..., por lo menos! -replicó Cruzada.

El cuello de la asiática se hinchó bruscamente, y de nuevo la serpiente se puso en guardia. **Ambas**[96] víboras se miraron largo rato...

-Inteligente y valiente -murmuró Hamadrías-. A ti se te puede hablar... ¿Conoces el nombre de mi especie?

80 -Hamadrías, supongo.

-O Naja búngaro... o Cobra capelo real. ¿Y sabes de qué nos alimentamos?

-No.

-De víboras americanas..., entre otras cosas -concluyó moviendo la cabeza ante Cruzada.

Ésta apreció rápidamente el **tamaño**[97] de la serpiente extranjera.

85 -¿Dos metros cincuenta? -preguntó.

-Sesenta..., dos sesenta, pequeña Cruzada -dijo la otra.

-Es un buen tamaño... Más o menos, el largo de Anaconda, una prima mía. ¿Sabes de qué se alimenta?

-Supongo...

-Sí, de víboras asiáticas -y miró a su vez a Hamadrías.

90 -¡Bien contestado! -dijo ésta, moviéndose de nuevo. Y añadió perezosamente:

-¿Prima tuya, dijiste?

---

[94] *cobra*: serpiente venenosa.
[95] *ladrar*: dar ladridos (sonido que emite el perro).
[96] *ambas*: las dos.
[97] *tamaño*: dimensión.

-Sí.

-¿Sin veneno, entonces?

-Así es... Y por esto justamente tiene gran debilidad por las extranjeras venenosas. -Pero la asiática no la
95 escuchaba ya, perdida en sus pensamientos.

-¡Óyeme! -dijo de pronto-. ¡Estoy harta de hombres, perros, caballos y de toda crueldad! Tú me puedes entender...

Llevo año y medio encerrada en una jaula como una rata, maltratada, **torturada**[98] periódicamente. Y, lo que es

peor, despreciada por los hombres... Y yo, que tengo valor, fuerza y veneno suficiente para terminar con todos

ellos, estoy obligada a entregar mi veneno para la preparación de sueros antivenenosos. ¡No sabes lo que esto
100 supone para mi orgullo! ¿Me entiendes?

-Sí -contestó la otra-. ¿Qué debo hacer?

-Una sola cosa; un solo medio tenemos de **vengarnos**[99]... Acércate, que no nos oigan... Tú sabes la necesidad ab-

soluta de un punto de apoyo para poder tener fuerza... Toda nuestra salvación depende de esto. Solamente...

-¿Qué?

105 La cobra real miró otra vez fijamente a Cruzada.

-Solamente que puedes morir...

-¿Sola?

-¡Oh, no! *Ellos,* algunos de los hombres, también morirán...

-¡Es lo único que deseo! Continúa.

110 -Pero acércate aún... ¡Más cerca!

El diálogo continuó un rato en voz muy baja. De pronto, la cobra se echó adelante y mordió por tres veces a Cru-

zada. Las víboras gritaron:

-¡Ya está! ¡Ya la mató!

Cruzada, mordida por tres veces, muy pronto quedó inmóvil. Cuando tres horas después el empleado del Instituto
115 entró en el Serpentario, vio a la serpiente y la **empujó**[100] con el pie. Le **dio la vuelta**[101] y miró su vientre blanco.

-Está muerta, bien muerta... -murmuró-. Pero ¿de qué? -Observó a la víbora. No fue largo su examen: en el

cuello y en la misma base de la cabeza notó **huellas**[102] de **colmillos**[103] venenosos.

-¡Hum! -se dijo el hombre-. Ésta no puede ser más que la hamadrías...

Cogió a Cruzada por la cola y la lanzó por encima de la barrera de cinc, ¡un animal menos que vigilar!

120 Fue a ver al director:

-La hamadrías ha mordido a la serpiente que pusimos hace un rato. Vamos a extraerle muy poco veneno.

-Es un **fastidio**[104] grande -dijo aquél. Pero necesitamos para hoy el veneno... No nos queda más que un solo tubo

de suero... ¿Murió la serpiente?

-Sí; la **tiré**[105] afuera... ¿Traigo a la hamadrías?

125 -No hay más remedio... Pero para la segunda recolección, dentro de dos o tres horas.

---

[98] *torturar:* hacer sufrir.
[99] *vengar:* tomar satisfacción de una ofensa o daño.
[100] *empujar:* hacer fuerza contra algo para moverlo.
[101] *dar la vuelta:* poner algo del lado contrario.
[102] *huella:* señal que queda de una cosa en otra.
[103] *colmillo:* diente puntiagudo.
[104] *fastidio:* molestia.
[105] *tirar:* echar.

Lectura 5

1   S e encontraba sin fuerzas. Sentía la boca llena de tierra y sangre. ¿Dónde estaba?

Cruzada alcanzó a distinguir el lugar donde estaba. Vio, y reconoció, el muro de cinc, y de repente recordó todo: el perro negro, el **lazo**[106], la inmensa serpiente asiática. Recordó también el plan de batalla en que se había jugado su vida. Recordaba todo, ahora que la **parálisis**[107] provocada por el veneno comenzaba a abandonarla.

5   Con el recuerdo, tuvo conciencia de lo que debía hacer. ¿Habría tiempo todavía?

Intentó arrastrarse, pero su cuerpo se quedaba en el mismo sitio, sin avanzar. Pasó un rato todavía y su inquietud crecía.

-¡Sólo estoy a treinta metros! -murmuraba-. ¡Dos minutos, un solo minuto de vida y llego a tiempo!

Y después de un nuevo esfuerzo consiguió arrastrarse desesperadamente hacia el laboratorio. Cruzó el patio y llegó

10 a la puerta. Un empleado, con las dos manos, sostenía la Hamadrías. Mientras tanto el hombre de las gafas le introducía el **vidrio**[108] en la boca. La mano iba a oprimir las **glándulas**[109], y Cruzada estaba todavía en la puerta.

-¡No tendré tiempo! -se dijo desesperada. Hizo un gran esfuerzo, y mordió al **peón**[110] en el pie. El cuerpo de la cobra real alcanzó la **pata**[111] de la mesa. Y con ese punto de apoyo, soltó su cabeza de entre las manos del peón y mordió la mano izquierda del hombre de gafas, justamente en una **vena**[112].

15   ¡Ya estaba! Con los primeros gritos, la cobra asiática y la serpiente **huían**[113] sin ser perseguidas.

-¡Un punto de apoyo! -murmuraba la cobra corriendo a toda velocidad por el campo-. ¡Ya lo conseguí, por fin!

-Sí -corría la serpiente a su lado, con mucho dolor todavía-. Pero no volvería a repetir el juego...

Allí, de la mano del hombre salía sangre **espesa**[114]. La mordedura de una hamadrías en una vena es cosa demasiado seria. Un hombre no puede resistirla mucho rato con los ojos abiertos y el herido los cerraba minutos

20 después.

* * *

El Congreso estaba en pleno. Además de Terrífica y Ñacaniná, y las serpientes Urutú Dorado, Coatiarita, Neuwied, Atroz y Lanceolada, había venido también Coralina, de cabeza estúpida según Ñacaniná, pero muy hermosa.

Las Cazadoras estaban representadas esa noche por Drimobia, llamada yararacusú del monte. Asistían Cipó, de

25 un hermoso verde y gran cazadora de pájaros; Radínea, pequeña y oscura; Boipeva, que se aplasta completamente

---

[106] *lazo:* aquí, cuerda que sirve para cazar o sujetar animales.
[107] *parálisis:* pérdida del movimiento de una o varias partes del cuerpo.
[108] *vidrio:* aquí, el tubo de cristal.
[109] *glándula:* órgano del cuerpo que elabora sustancias.
[110] *peón:* obrero, empleado.

[111] *pata:* aquí, pie de un mueble.
[112] *vena:* conducto por donde pasa la sangre.
[113] *huir:* alejarse de un lugar por miedo a un peligro.
[114] *espeso:* que tiene mucha densidad.

contra el suelo, en cuanto se siente amenazada; Trigómina, culebra de coral, muy fina de cuerpo; y por último Esculapia, también de coral.

Faltaban varias especies de las venenosas y las cazadoras.

Desde el primer Congreso de las Víboras se acordó que las especies numerosas, estando en mayoría, podían dar fuerza a sus decisiones. De aquí la plenitud del Congreso actual. Se lamentaba la ausencia de la serpiente Surucucú, a quien no había sido posible encontrar por ninguna parte. Esta víbora, que puede alcanzar a tres metros, es a la vez la reina en América y la viceemperatriz del Imperio Mundial de las Víboras. Sólo una la **aventaja**[115] en tamaño y potencia de veneno: la hamadrías asiática.

Alguna faltaba, además de Cruzada; pero las víboras todas parecían no darse cuenta de su ausencia.

Por entre la hierba **asomó**[116] una cabeza de grandes ojos vivos.

-¿Se puede? -decía la visitante alegremente.

Todas las víboras levantaron la cabeza al oír aquella voz.

-¿Qué quieres aquí? -gritó Lanceolada con profunda irritación.

-¡Éste no es tu lugar! -exclamó Urutú Dorado.

-¡Fuera! ¡Fuera! -gritaron otras.

Pero Terrífica logró hacerse oír.

-¡Compañeras! No olviden que estamos en Congreso. Todas conocemos sus leyes. Nadie, mientras dure, puede ejercer ningún acto de violencia. ¡Entra, Anaconda!

Y la cabeza viva y simpática de Anaconda avanzó su cuerpo de dos metros cincuenta. Pasó delante de todas, cruzando una mirada de **inteligencia**[117] con la Ñacaniná, y fue a ponerse junto a Terrífica.

-¿Te molesto? -le preguntó **cortésmente**[118] Anaconda.

-¡No, de ninguna manera! -contestó Terrífica.

Anaconda y Ñacaniná cruzaron una mirada irónica, y prestaron atención.

La hostilidad de la asamblea hacia la que acababa de llegar tenía cierta razón. La Anaconda es la reina de todas las serpientes sin excepción. Su fuerza es extraordinaria, y no hay animal capaz de resistir un abrazo suyo. Pero la Anaconda es demasiado fuerte para **odiar**[119] a nadie. Esta conciencia de su valor le hace conservar siempre buena amistad con el hombre. Si a alguien odia, es, naturalmente, a las serpientes venenosas. De aquí la emoción de las víboras delante de la cortés Anaconda.

Anaconda no es, sin embargo, hija de la región. **Vagabundeando**[120] en las aguas del Paraná había llegado hasta allí y muy contenta del país continuaba en la región. Tenía buena relación con todos, y en particular con la Ñacaniná. Era una joven Anaconda que no llegaba aún a los diez metros de sus felices abuelos. Pero sus dos metros cincuenta ya valían por el doble.

---

[115] *aventajar:* ser superior.
[116] *asomar:* mostrar por una abertura.
[117] *inteligencia:* aquí, complicidad.

[118] *cortésmente:* educadamente.
[119] *odiar:* tener un sentimiento que hace desear mal a alguien.
[120] *vagabundear:* andar errante.

Atroz acababa de tomar la palabra delante de una asamblea distraída.

-Creo que podríamos comenzar ya -dijo-. En primer lugar, es necesario saber algo de Cruzada. Prometió estar

60 aquí en seguida.

-Lo que prometió -intervino la Ñacaniná- es estar aquí cuanto antes. Debemos esperarla.

-¿Para qué? -replicó Lanceolada sin mirar a la culebra.

-¿Cómo para qué? -exclamó ésta-. ¡Estoy cansada ya de oír en este Congreso tantas **tonterías**[121]! Todas sabemos que de las noticias de Cruzada depende nuestro plan...

65 Felizmente, Coralina, que estaba en la entrada de la caverna, entró y dijo:

-¡Ahí viene Cruzada!

-¡Por fin! -exclamaron todas, alegres. Pero su alegría no duró mucho. Detrás de la serpiente vieron entrar a una inmensa víbora, desconocida.

Mientras Cruzada se ponía al lado de Atroz, la serpiente que acababa de llegar **se arrolló**[122] lentamente en el

70 centro de la caverna y se quedó inmóvil.

-¡Terrífica! -dijo Cruzada-. **Dale la bienvenida**[123]. Es de las nuestras.

-¡Somos hermanas! -añadió la serpiente de cascabel.

Todas las víboras, muertas de curiosidad, se acercaron hacia ella.

-Parece una prima sin veneno -decía una con **ironía**[124].

75 -Sí -dijo otra-. Tiene ojos redondos.

-Y cola larga.

-Y además...

Pero de pronto quedaron **mudas**[125], porque la desconocida acababa de hinchar monstruosamente el cuello. Sólo duró aquello un segundo.

80 -Cruzada: diles que no se acerquen tanto. No puedo dominarme.

-Sí, ¡déjenla tranquila! -exclamó Cruzada-. Además, acaba de salvarme la vida y tal vez la de todas nosotras.

El Congreso escuchó con atención la narración de Cruzada: el encuentro con el perro, el lazo del hombre de gafas oscuras, el magnífico plan de Hamadrías y el profundo sueño de la serpiente hasta una hora antes de llegar.

-Resultado -dijo-: dos hombres fuera de combate, y de los más peligrosos. Ahora tenemos que eliminar a los de-

85 más.

-¡O a los caballos! -dijo Hamadrías.

-¡O al perro! -añadió la Ñacaniná.

-Yo creo que a los caballos -insistió la cobra real-. Si quedan vivos los caballos, un solo hombre puede preparar miles de tubos de suero y así se inmunizarán contra nosotras. Insisto, pues, en dirigir todo nuestro ataque contra

---

[121] *tontería:* palabra o hecho que revela falta de inteligencia.

[122] *arrollarse:* poner una serpiente sus anillos en forma circular.

[123] *dar la bienvenida:* recibir a alguien con alegría.

[124] *ironía:* forma de expresión que consiste en hacer entender lo contrario de lo que se dice.

[125] *mudo:* que no puede hablar.

90 los caballos. ¡Después veremos! En cuanto al perro -concluyó mirando a Ñacaniná- me parece despreciable.

Era evidente que desde el primer momento la serpiente asiática y la ñacaniná indígena no se querían. La vieja y tenaz rivalidad entre serpientes venenosas y no venenosas se manifestaba aún más en aquel último Congreso.

-Por mi parte -contestó Ñacaniná- creo que caballos y hombres son secundarios en esta lucha. Un perro inmunizado es el enemigo más terrible que podamos tener. ¿Qué opinas, Cruzada?

95 Todos conocían en el Congreso la amistad singular que unía a la víbora y la culebra. Más que amistad era una estima recíproca de su mutua inteligencia.

-Yo opino como Ñacaniná -dijo-. Si el perro ataca, estamos perdidas.

La cobra real sintió el veneno inundarle los colmillos y dijo:

-El peligro real en esta circunstancia es para nosotras, las Venenosas. Las culebras saben que el hombre no tiene
100 miedo de ellas.

-¡Bien dicho! -dijo una voz desconocida.

Hamadrías se volvió, porque en el tono tranquilo de la voz había notado cierta ironía y vio dos grandes ojos brillantes que la miraban tranquilamente.

-¿A mí me hablas? -preguntó con desprecio.

105 -Sí, a ti -dijo ella tranquilamente-. Es verdad lo que has dicho.

La cobra real volvió a sentir la ironía anterior.

-¡Tú eres Anaconda!

-¡Tú lo has dicho! -contestó ella. Pero la Ñacaniná quería aclarar de una vez las cosas.

-¡Un instante! -exclamó.

110 -¡No! -dijo Anaconda-. Permíteme, Ñacaniná. Cuando un ser es ágil, fuerte y rápido, lucha con su enemigo con la energía de sus nervios y de sus músculos. Así cazan el gato, el tigre, todos los seres de noble estructura. Pero cuando uno es **torpe**[126], pesado y poco inteligente, entonces se mata a traición.

La cobra real, fuera de sí, había **dilatado**[127] el monstruoso cuello para lanzarse sobre Anaconda, pero el Congreso entero se levantó al ver esto.

115 -¡Cuidado! -gritaron varias-. ¡El Congreso es **inviolable**[128]!

Hamadrías dudó un instante, pero ante la actitud de combate del Congreso entero, se calmó lentamente.

-¡Está bien! -dijo-. Respeto al Congreso. Pero pido que no provoquen.

-Nadie te provocará -dijo Anaconda.

La cobra se volvió a ella llena de odio.

120 -¡Y tú menos que nadie, porque me tienes miedo!

-¡Miedo yo! -contestó Anaconda, avanzando.

---

[126] **torpe:** falto de agilidad, de reflejos.
[127] **dilatar:** aumentar de volumen excesivamente.
[128] **inviolable:** que no se debe o no se puede atacar.

-¡Paz, paz! -gritaron todas de nuevo.

-Sí, ya está bien -dijo Terrífica-. Tenemos dos planes: el de Ñacaniná y el de nuestra **aliada**[129]. ¿Comenzamos el ataque por el perro, o bien lanzamos todas nuestras fuerzas contra los caballos?

125   La mayoría del Congreso se inclinaba a adoptar el plan de la culebra. Pero la inteligencia demostrada por la serpiente asiática había impresionado favorablemente al Congreso. El plan de la cobra real **triunfó**[130] al fin.

Como era cuestión de vida o de muerte atacar en seguida, se decidió hacerlo inmediatamente.

-¡Adelante, pues! -dijo la serpiente de cascabel-. ¿Nadie tiene nada más que decir?

-¡Nada...! -gritó Ñacaniná-. Sólo que **nos arrepentiremos**[131].

130   Y las víboras y culebras se lanzaron hacia el Instituto.

¡Una palabra! -advirtió Terrífica-. ¡Mientras dure el ataque estamos en Congreso y somos inviolables las unas para las otras! ¿Entendido?

-¡Sí, sí! -dijeron todas.

La cobra real dijo al pasar Anaconda a su lado:

135   -Después...

-¡Ya lo creo! -contestó alegremente Anaconda.

[129] *aliado:* persona que se pone de acuerdo con otra para un fin determinado.

[130] *triunfar:* tener éxito, ganar.

[131] *arrepentirse:* pesarle a alguien haber hecho algo.

Lectura 6

1   El personal del Instituto **velaba**[132] al pie de la cama del hombre mordido por la serpiente. Pronto debía amanecer. Un empleado se asomó a la ventana por donde entraba la noche caliente y creyó oír un ruido en uno de los **galpones**[133].

-Me parece que es en la **caballeriza**[134] ... Vaya a ver, Fragoso.

5   Fragoso **encendió**[135] un **farol**[136] y salió mientras que los demás escuchaban atentos.

Medio minuto después oyeron pasos rápidos en el patio y Fragoso aparecía **pálido**[137] de sorpresa.

-¡La caballeriza está llena de víboras! -dijo.

-¿Llena? -preguntó el nuevo jefe-. ¿Qué es eso? ¿Qué pasa?

-No sé.

10   -Vamos.

Y se lanzaron afuera.

-¡Daboy! ¡Daboy! -llamó el jefe al perro que dormía bajo la cama del enfermo.

Entraron todos en la caballeriza y pudieron ver al caballo y a la mula luchando contra sesenta u ochenta víboras.

Al ver la luz, las serpientes se detuvieron un instante, para lanzarse en seguida a un nuevo ataque.

15   El personal del Instituto se vio rodeado por todas partes de víboras. Fragoso sintió un golpe de colmillos en el borde de las botas y **descargó**[138] un palo sobre el atacante. El nuevo director cortó en dos a otra. El otro empleado aplastó la cabeza a una gran víbora arrollada sobre el cuello del perro.

Esto pasó en menos de diez segundos. Los palos caían sobre las víboras que mordían las botas y pretendían subir por las piernas. Fragoso, al precipitarse sobre una víbora, se cayó y el farol se rompió.

20   -¡**Atrás!**[139] -gritó el nuevo director-. ¡Daboy, aquí!

Salieron al patio seguidos por el perro. Pálidos se miraron.

-Parece cosa del diablo... -murmuró el jefe-. Jamás se ha visto una cosa igual.... ¿Qué tienen las víboras de este país? Ayer una doble mordedura... Hoy... Menos mal que ignoran que nos han salvado a los caballos con sus mordeduras.

25   -Y Daboy -añadió el empleado- ¿no tiene nada?

-No; muy mordido... pero puede resistir.

Volvieron los hombres otra vez a ver al enfermo que iba mejor.

-Comienza a amanecer -dijo el nuevo director-. Usted, Antonio, podrá quedarse aquí. Fragoso y yo vamos a salir.

---

[132] *velar:* permanecer despierto para atender a algo o a alguien.
[133] *galpón:* cobertizo grande.
[134] *caballeriza:* sitio destinado a los caballos.
[135] *encender:* poner luz o fuego.

[136] *farol:* caja de materia transparente donde hay una luz.
[137] *pálido:* que tiene el color más atenuado de lo que le es propio.
[138] *descargar:* aquí, dar con violencia.
[139] *¡atrás!:* interjección que se usa para hacer retroceder.

-¿Llevamos los lazos? -preguntó Fragoso.

30 -¡Oh no! -dijo el jefe-. Estas víboras son demasiado especiales... Los palos y el machete.

* * *

Amanecía y la luz era un peligro para las combatientes.

-Si nos quedamos un momento más -exclamó Cruzada-, no nos dejan salir. ¡Atrás!

-¡Atrás, atrás! -gritaron todas.

-¡Un instante! -gritó Urutú Dorado-. Veamos cuántas somos, y qué podemos hacer.

35 En total habían muerto veintitrés serpientes: Atroz, Drimobia, Coatiarita, Radínea, Boipeva... Las demás estaban todas golpeadas, llenas de polvo y sangre.

-He aquí el éxito de nuestro ataque -dijo **amargamente**[140] Ñacaniná-. ¡Te felicito, Hamadrías!

Pero no dijo lo que había oído -pues había salido la última-: En vez de matar, habían salvado la vida a los caballos.

40 Sabido es que para un caballo que se está inmunizando, el veneno es indispensable para su vida diaria.

Se oyó el ladrido del perro.

-¡Estamos en peligro! -gritó Terrífica-. ¿Qué hacemos?

-¡A la caverna! -gritaron todas.

-¡Pero, están locas! -gritó la Ñacaniná-. ¡Van a la muerte! ¡Tenemos que separarnos!

45 Pero la cobra real, humillada y vencida, prefirió llevarse a todas las serpientes con ella.

-¡Está loca Ñacaniná! -exclamó-. Si nos separamos, nos matarán una a una sin poder defendernos. ¡A la caverna!

-¡Sí, a la caverna! -respondieron todas-. ¡A la caverna!

La Ñacaniná comprendió que iban a la muerte y se alegró de ver a su lado a Anaconda.

-Ya ves adónde nos lleva la asiática.

50 -Sí, es mala -murmuró Anaconda.

-¡Y ahora van a morir todas juntas!

-Ella, por lo menos -dijo Anaconda-, no va a tener ese gusto...

Por fin llegaron delante de la caverna.

-¡Un momento! -dijo Anaconda-. Vosotras no sabéis que dentro de diez minutos no va a quedar viva una de

55 nosotras, pero yo lo sé. El Congreso y sus leyes han terminado. ¿No es eso, Terrífica?

Se hizo un largo silencio.

-Sí -murmuró Terrífica-. Han terminado.

-Entonces -continuó Anaconda, mirando para todos lados-, antes de morir quiero... ¡Ah, mejor así! -dijo con alegría al ver que la cobra real avanzaba lentamente hacia ella.

[140] *amargamente:* con aflicción o disgusto.

60　No era el momento ideal para un combate. Pero nada podrá evitar nunca que una Venenosa y una Cazadora solucionen sus problemas particulares.

El primer choque fue favorable a la cobra real: sus colmillos se **hundieron**[141] en el cuello de Anaconda. Ésta devolvió el ataque y lanzó su cuerpo adelante. Envolvió en él a la Hamadrías y en un instante se sintió **ahogada**[142].

La boa cerraba progresivamente sus anillos sobre ella y poco a poco inmovilizaba a su rival. La cobra movía des-
65　esperadamente la cabeza. Los 96 dientes de Anaconda le subieron por la garganta hasta **clavarse**[143] por fin en la cabeza.

Ya estaba terminado. La boa abrió sus anillos y el cuerpo de la cobra real cayó muerto a tierra.

-Por lo menos estoy contenta -murmuró Anaconda, cayendo casi sin vida sobre el cuerpo de la asiática.

En ese instante las víboras oyeron a menos de cien metros el ladrido del perro.

70　-¡Entremos! -dijeron algunas.

-¡No, aquí! ¡Muramos aquí! Y contra el murallón que les cortaba el paso, con el cuello y la cabeza levantados, esperaron.

No fue larga su espera. Pronto vieron las dos altas siluetas del nuevo director y de Fragoso **reteniendo**[144] al perro.

-¡Se acabó! ¡Y esta vez definitivamente! -murmuró Ñacaniná. Así **se despedía**[145] con esas seis palabras de una
75　vida bastante feliz. Y con un violento ataque se lanzó sobre el perro. Éste cayó furioso sobre Terrífica y ella hundió los colmillos en su hocico. Neuwied los hundió en el vientre del animal. Pero en ese momento llegaban los hombres. En un segundo Terrífica y Neuwied cayeron muertas.

Cayeron una tras otra: Urutú Dorado, Cipó, Lanceolada... Fueron quedando muertas frente a la caverna de su último Congreso. Y de las últimas, cayeron Cruzada y Ñacaniná.

80　No quedaba una. Los hombres se sentaron mirando todas esas serpientes muertas. Daboy presentaba síntomas de **envenenamiento**[146], pues había sido mordido 64 veces.

Cuando los hombres se levantaban para irse se fijaron por primera vez en Anaconda, que comenzaba a revivir.

-¿Qué hace esta boa por aquí? -dijo el nuevo director-. No es éste su país... Parece que tenía relación con la cobra real... , y nos ha vengado a su manera. Parece muy envenenada, si la salvamos haremos algo bueno. Vamos a lle-
85　várnosla. Quizás un día nos salve a nosotros de todas estas serpientes venenosas.

Y se fueron, llevando de un palo en los hombros a Anaconda, que iba pensando en Ñacaniná.

Anaconda no murió. Vivió un año con los hombres, curioseando y observándolo todo, hasta que una noche se fue.

FIN

[141] *hundir:* introducir profundamente.
[142] *ahogar:* aquí, estrangular.
[143] *clavar:* aquí, hincar los dientes.
[144] *retener:* impedir avanzar.
[145] *despedirse:* aquí, decir unas palabras de cortesía para separarse una persona de otra.
[146] *envenenamiento:* acción de matar a alguien con veneno introducido en el organismo.

Horacio Quiroga

Vida

Horacio Quiroga nació en Salto (Uruguay) el 31 de diciembre de 1878 y murió en Misiones (Argentina) el 19 de febrero de 1937.

Como periodista y escritor recogió en su obra las experiencias que vivió en las selvas de Chaco y de Misiones (nordeste de Argentina) donde pasó gran parte de su vida. Fue un personaje original y poco común obsesionado por la muerte por accidente y por el suicidio. Su padre murió en un accidente de caza y él mismo mató a un amigo sin querer. Su padrastro y su primera esposa se suicidaron. La muerte de Horacio Quiroga también fue por suicidio.

Obra

Antes de trasladarse a Argentina, en 1901, publicó un libro de versos: *Los arrecifes de coral*.

En 1908 presentó su primera novela: *Historia de un amor turbio* y dos años más tarde la segunda, *Pasado amor.*

Pero sobre todo se le considera uno de los escritores de cuentos más destacados de América Latina y uno de los creadores del estilo del cuento contemporáneo.

Escribió en la misma época que otro gran cuentista hispanoamericano, Leopoldo Lugones. Quiroga fue un hombre muy culto y en su obra hay huella de escritores como Poe, Baudelaire, Guy de Maupassant, Kipling, Chejov, etc.

En sus cuentos encontramos la fantasía y la realidad más cotidiana en el escenario de una vegetación tropical y con animales grandes y pequeños como protagonistas.

Publicó varias colecciones de cuentos: *El crimen del otro* (1907), *Cuentos del amor, de la locura y de la muerte* (1917), *Cuentos de la selva* (1918), *El salvaje* (1920), *Anaconda* (1921), *El desierto* (1924), *La gallina degollada y otros cuentos* (1925), *Los desterrados* y *El regreso de Anaconda* (1926). Su último libro, *Más allá,* es de 1935.

Anaconda

En *Anaconda* el mundo fronterizo de civilización y naturaleza lo representan las serpientes, que actúan de un modo casi humano, y el hombre, que intenta someter a la naturaleza.

Anaconda es considerada como una obra maestra de Horacio Quiroga por la interpretación tan acertada que hace de la vida de la selva.

La continuación de *Anaconda* es *El regreso de Anaconda*, que ya se nos anuncia en las líneas finales de *Anaconda*.

REFUERZA TU ESPAÑOL

Proyectos

Apéndice gramatical

Proyecto 1: módulos 1 y 2

1. Primero prepara el vocabulario y las expresiones.

> Describes tu carácter y tu personalidad y escribes un correo para conocer a nuevos amigos que hablan español.

a Elige 5 adjetivos que concuerdan con tu carácter. ☐ ✔

- ☐ simpático
- ☐ trabajador
- ☐ positivo
- ☐ gracioso
- ☐ tímido
- ☐ vago
- ☐ educado

- ☐ generoso
- ☐ inteligente
- ☐ activo
- ☐ alegre
- ☐ callado
- ☐ orgulloso
- ☐ serio

- ☐ amable
- ☐ ordenado
- ☐ tolerante
- ☐ divertido
- ☐ nervioso
- ☐ testarudo
- ☐ inteligente

- ☐ sincero
- ☐ altruista
- ☐ abierto
- ☐ deportista
- ☐ cariñoso
- ☐ envidioso
- ☐ paciente

b Piensa en una persona que te cae muy bien y en otra que te cae mal. Explica por qué.

c Di qué temas te preocupan, interesan, etc.

- ☐ la ecología
- ☐ la violencia
- ☐ la injusticia
- ☐ la desigualdad
- ☐ el mundo
- ☐ el futuro
- ☐ el hambre en el mundo
- ☐ la política internacional
- ☐ la economía
- ☐ otros

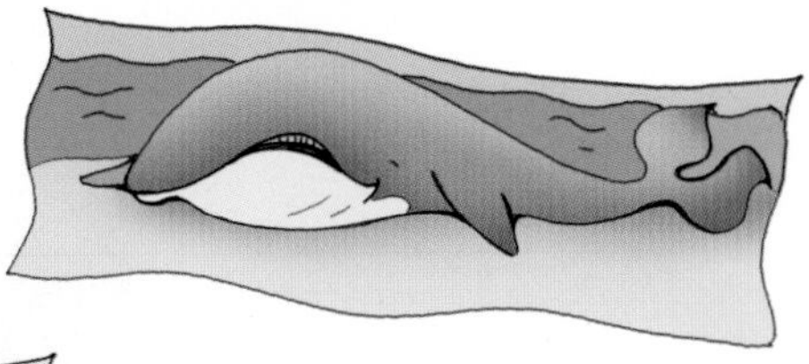

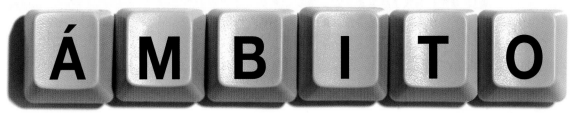

ÁMBITO

personal de uso de la lengua

d Habla de tus gustos musicales y del tiempo libre.

Los deportes, la música, el cine, la literatura,
las excursiones, leer, tocar música,
actuar en un grupo de teatro...

e Participarías en el club de fans de... ¿Por qué?

2. Ahora escribe tu descripción y envíala a **chicoschicas@edelsa.es**.
Las mejores se publicarán.

chicoschicas@edelsa.es

Nuevo mensaje

Nombre:

Dirección electrónica:

Texto del mensaje:

1. Elige uno de estos temas.

> Escribes una redacción bien estructurada y coherente sobre un tema que tú eliges.

- Explica cómo es tu país y sus costumbres: haz preguntas para informarte de cómo viven los jóvenes de otros países.

- Propón un debate (ecológico, social, cultural...) y da tu opinión: arguméntala y anima a otras personas a participar en un foro.

- Cuenta una experiencia de clase interesante.

2. Busca información y haz un esbozo de las ideas principales.

3. Busca en el diccionario las palabras que necesitas.

ÁMBITO
académico **de uso de la lengua**

4. Organiza el relato.

a Haz una lista de palabras y expresiones importantes que vas a utilizar.

b Piensa qué vas a escribir, qué temas vas a tratar, y organízalos.

Primero...
Segundo...
Tercero...
Por último...

5. Lee el texto y corrígelo.

6. Ahora escribe tu redacción y envíala a **chicoschicas@edelsa.es**. Las mejores se publicarán.

chicoschicas@edelsa.es

Nuevo mensaje

Nombre:
Dirección electrónica:
Texto del mensaje:

1. Primero prepara el vocabulario y las expresiones.

Crea un invento que sea beneficioso para la humanidad y descríbelo.

a Explica tu invento e indica su utilidad.

✔ Sirve para curar enfermedades.

✔ Sirve para hacer el trabajo de...

✔ Sirve para hacer...

Otro: ....

b Piensa en el diseño.

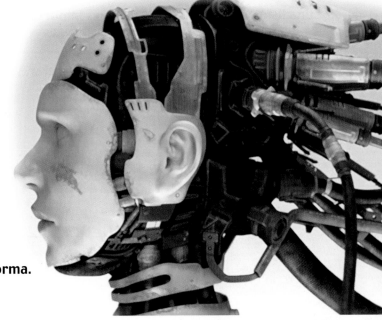

c Imagina el material, los componentes, la forma.

d Imagina qué hace.

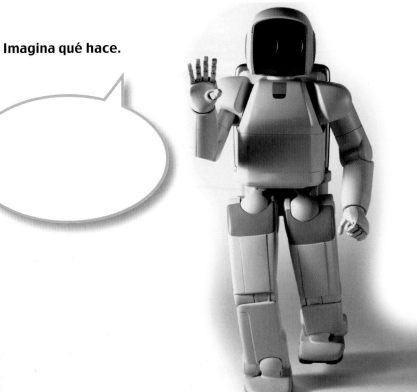

ÁMBITO
público de uso de la lengua

e ¿Cuáles son las ventajas de tu invento? ¿Tiene algún inconveniente? Haz una lista de las ventajas y los inconvenientes.

ventajas	inconvenientes

2. Escucha a estos chicos. ¿Qué invento te parece mejor?

3. Ahora escribe un texto describiendo tu invento y envíalo a **chicoschicas@edelsa.es**. Los mejores se publicarán.

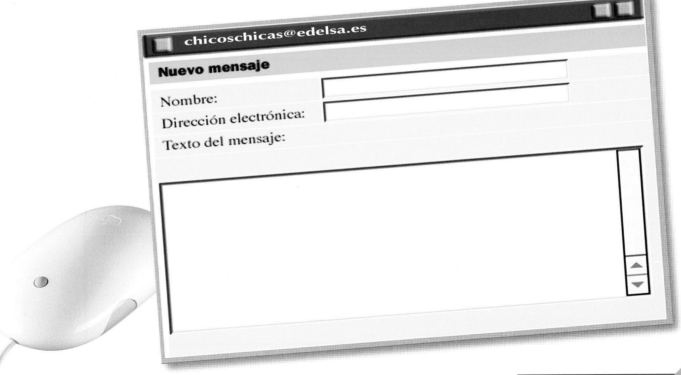

chicoschicas@edelsa.es

Nuevo mensaje

Nombre:

Dirección electrónica:

Texto del mensaje:

Apéndice

gramatical

1. EL ADJETIVO CALIFICATIVO

SINGULAR		PLURAL
MASCULINO	FEMENINO	MASCULINO / FEMENINO
-o *divertido* -e/-ista *paciente* *egoísta*	-a *divertida* -e/-ista *paciente* *egoísta*	terminados en vocal: + -s *sincero / sinceros* *generosa / generosas* *amable / amables*
-or *trabajador* -án *holgazán* **Adjetivos invariables** *difícil, fácil, fiel, hipócrita*	-ora *trabajadora* -ana *holgazana*	terminados en consonantes: + -es *trabajador / trabajadores* terminados en -z: -z > -ces *feliz / felices* *difíciles, fáciles, fieles, hipócritas*

2. EL SUPERLATIVO RELATIVO

el / la / los / las	+	sustantivo	+	*más / menos*	+	adjetivo

La ballena es el animal más grande del mundo.

el / la / los / las	+	sustantivo	+	*que*	+	*más / menos*	+	sustantivo / adverbio / Ø	+	verbo

El halcón es el animal que más rápido vuela.
Toledo es la ciudad española que más me gusta.

3. LOS ADVERBIOS EN –*MENTE*

- Se añade -*mente* al adjetivo en femenino: *clara > claramente*.
Si el adjetivo lleva tilde, el adverbio también: *fácil > fácilmente*.
- El adverbio en -*mente* significa: de manera + adjetivo femenino / con + sustantivo.
claramente = de manera clara / con claridad.
rápidamente = de manera rápida / con rapidez.
- Cuando varios adverbios en -*mente* se siguen, solo el último lleva la terminación -*mente*.
Habla rápida y claramente. = Habla de manera rápida y clara. / con rapidez y claridad.

4. LOS PRONOMBRES RELATIVOS: *QUE, CUAL(ES), QUIEN(ES)*

SIN PREPOSICIÓN	
SE REFIERE A PERSONAS	**SE REFIERE A COSAS**
Tengo amigos. Estos amigos son muy divertidos. ↓ *Tengo amigos que son muy divertidos.*	*El club organiza actividades. Me interesan estas actividades.* ↓ *Me interesan las actividades que organiza el club.*
CON PREPOSICIÓN (A, EN, DE, POR, PARA, CON...)	
preposición + *el / la / los / las que*, *el / la / los / las cual*(es), *quien*(es)	preposición + *el / la / los / las que*, *el / la / los / las cual*(es), *quien*(es)
Te presento a mis amigas. *Voy a ir al cine con estas amigas.* ↓ *Te presento a las amigas con las que / las cuales /* *quienes voy a ir al cine.*	*Madrid es una gran ciudad.* *En Madrid hay muchos museos.* ↓ *Madrid es una gran ciudad en la que / la cual hay muchos museos.*

5. EL PRONOMBRE *LO*

- *Lo que* + *(más / menos...)* + verbo + *es / son* + nombre / Infinitivo.
Lo que más me gusta de España es la paella.
- *Lo* + *(más / menos...)* + adjetivo + *es / son* + nombre / Infinitivo.
Lo menos interesante de esta película es la ambientación.

6. EL PRONOMBRE *SE*

- Para hablar de forma impersonal: *Se* + verbo en tercera persona del singular o del plural.
La lavadora es un aparato que se usa para lavar la ropa.
Los libros se compran en las librerías.

7. LOS INDEFINIDOS

	FRASES AFIRMATIVAS	FRASES NEGATIVAS
Cosas y acciones	*¿Quieres tomar algo?*	*No, no quiero tomar nada.*
	¿Quieres hacer algo?	*No, no quiero hacer nada.*
Personas	*¿Ha llamado alguien?*	*No, no ha llamado nadie. / Nadie ha llamado.*
Cosas y personas	*¿Tienes algún bolígrafo azul?*	*No, no tengo ninguno.* *ningún bolígrafo azul.*
	¿Tienes alguna amiga en Chile? *Me gustan estos CD, ¿me prestas alguno(s)?*	*No, no tengo ninguna.* *ninguna amiga en Chile.*

8. *SER* Y *ESTAR*

SER	ESTAR

• Identificar: *Soy Pedro.*
• Nacionalidad: *Eres boliviano.*
• Origen: *Julio es de Salamanca.*
• Profesión: *Mi padre es bombero.*
• Pertenencia: *Esta bicicleta es mía.*
• Materia: *Esta caja es de cartón.*
• Cualidades y características permanentes:
  Silvia es simpática.
  Julio es moreno.
• Hora: *Son las dos y media.*
• Precio: *¿Cuánto es? Son tres euros.*
• Destino: *Este libro es para ti.*
	• Localizar en el espacio: *Estamos en el aula.*
	• Estados físicos: *Estoy enfermo.*
	• Estados anímicos: *¿Por qué estás triste?*
	• Estar + Gerundio:
	  Pedro está leyendo en su habitación.
	• Expresiones:
	  Estar de acuerdo.
	  Estar a favor de / en contra de.
	  Está bien / mal.
	  Estar de pie / sentado / tumbado.

ALGUNOS ADJETIVOS CAMBIAN DE SENTIDO SEGÚN SE USEN CON *SER* O CON *ESTAR*.	
CON *SER*	CON *ESTAR*
• ser listo = ser inteligente • ser rico = tener mucho dinero • ser malo = tener mal carácter • ser aburrido = no gustar • ser abierto = ser tolerante • ser blanco = ser de color blanco	• estar listo = estar preparado • estar rico = estar delicioso • estar malo = tener mal sabor • estar aburrido = no divertirse • estar abierto = no estar cerrado • estar blanco = estar pálido

CONJUGACIÓN

9. PRETÉRITO INDEFINIDO

VERBOS REGULARES

	HABLAR	COMER	VIVIR
yo	hablé	comí	viví
tú	hablaste	comiste	viviste
él, ella, Ud.	habló	comió	vivió
nosotros/as	hablamos	comimos	vivimos
vosotros/as	hablasteis	comisteis	vivisteis
ellos, ellas, Uds.	hablaron	comieron	vivieron

VERBOS IRREGULARES

• Verbos en e...ir

PEDIR

pedí
pediste
pidió
pedimos
pedisteis
pidieron

Otros verbos: corregir, elegir, impedir, preferir, repetir, seguir, sentir, servir, vestirse...
Excepciones: decir, venir.

• Verbos en o...ir

DORMIR

dormí
dormiste
durmió
dormimos
dormisteis
durmieron

Otro verbo: morir.

• Verbos terminados en **vocal** + -er/-ir

CAER

caí
caíste
cayó
caímos
caísteis
cayeron

Otros verbos: creer, incluir, leer, oír, huir, poseer...
Excepción: traer.

VERBOS ESPECIALMENTE IRREGULARES

ANDAR	CABER	DAR	DECIR	ESTAR	HABER
anduve	cupe	di	dije	estuve	hube
anduviste	cupiste	diste	dijiste	estuviste	hubiste
anduvo	cupo	dio	dijo	estuvo	hubo
anduvimos	cupimos	dimos	dijimos	estuvimos	hubimos
anduvisteis	cupisteis	disteis	dijisteis	estuvisteis	hubisteis
anduvieron	cupieron	dieron	dijeron	estuvieron	hubieron

HACER	IR	PODER	PONER	QUERER	SABER
hice	fui	pude	puse	quise	supe
hiciste	fuiste	pudiste	pusiste	quisiste	supiste
hizo	fue	pudo	puso	quiso	supo
hicimos	fuimos	pudimos	pusimos	quisimos	supimos
hicisteis	fuisteis	pudisteis	pusisteis	quisisteis	supisteis
hicieron	fueron	pudieron	pusieron	quisieron	supieron

SER	TENER	TRAER	VENIR	VER	CONDUCIR*
fui	tuve	traje	vine	vi	conduje
fuiste	tuviste	trajiste	viniste	viste	condujiste
fue	tuvo	trajo	vino	vio	condujo
fuimos	tuvimos	trajimos	vinimos	vimos	condujimos
fuisteis	tuvisteis	trajisteis	vinisteis	visteis	condujisteis
fueron	tuvieron	trajeron	vinieron	vieron	condujeron

* Verbos en -**ducir** (reducir, traducir...)

USOS

Para hablar de acontecimientos pasados introducidos con las siguientes referencias temporales:
• *anteayer, ayer, anoche...*
• *el otro día, el lunes / martes / miércoles...*
• *el año / verano / fin de semana... pasado / la semana / la primavera... pasada...*
• *hace un / dos / tres... día(s) / mes(es), año(s)...*
• *en enero / febrero...*
• *en 1999, 2001...*
• *el 13 de marzo / 26 de julio...*

10. PRETÉRITO IMPERFECTO

VERBOS REGULARES

	HABLAR	COMER	VIVIR
yo	hablaba	comía	vivía
tú	hablabas	comías	vivías
él, ella, Ud.	hablaba	comía	vivía
nosotros/as	hablábamos	comíamos	vivíamos
vosotros/as	hablabais	comíais	vivíais
ellos, ellas, Uds.	hablaban	comían	vivían

VERBOS IRREGULARES

IR: iba, ibas, iba, íbamos, ibais, iban.

SER: era, eras, era, éramos, erais, eran.

VER: veía, veías, veía, veíamos, veíais, veían.

USOS

• Describir en el pasado
Mi casa era muy grande.
• Hablar de actividades habituales en el pasado
Cuando era niño, todos los veranos iba a casa de mis abuelos.
• Transmitir informaciones dichas por otras personas: Me dijo que + Imperfecto
Ayer, Sandra me dijo que estaba enferma.

11. PRETÉRITO PLUCUAMPERFECTO

Haber en Imperfecto +	Participio pasado
había	hablado
habías	dormido
había +	vivido
habíamos	escrito
habíais	visto
habían	...

USOS

• Transmitir acontecimientos pasados contados por otras personas: *Me dijo que* + Pretérito Pluscuamperfecto
*Patricia me dijo que **había ido** a casa de Luis.*
• En un relato, para indicar acciones pasadas anteriores a otra acción o situación también pasadas
*Cuando llegué a casa, Pedro ya **se había ido**.*

12. FUTURO

VERBOS REGULARES

yo		é
tú		ás
él, ella, Ud.	hablar	á
nosotros/as	comer +	emos
vosotros/as	vivir	éis
ellos, ellas, Uds.		án

VERBOS IRREGULARES

• CABER > cabr-		
• DECIR > dir-		
• HABER > habr-		
• HACER > har-		
• PODER > podr-		
• PONER > pondr-	+ é / ás / á / emos / éis / án	
• QUERER > querr-		
• SABER > sabr-		
• SALIR > saldr-		
• TENER > tendr-		
• VALER > valdr-		
• VENIR > vendr-		

USOS

• Hablar del futuro, expresar planes y proyectos
Este fin de semana iremos al cine.
• Expresar condiciones con efectos futuros: Si + Presente + Futuro
Si el sábado ganamos el partido, jugaremos la final.
• Para hacer hipótesis en el presente
Juan no está en casa. Estará en casa de su amigo Pedro.

13. EL CONDICIONAL

VERBOS REGULARES

yo tú él, ella, Ud. nosotros/as vosotros/as ellos, ellas, Uds.	hablar comer + vivir	ía ías ía íamos íais ían

VERBOS IRREGULARES

(Son los mismos que en Futuro).

• CABER > cabr- • DECIR > dir- • HABER > habr- • ...	ía / ías / ía / íamos / íais / ían

USOS

• Formular preguntas indirectas
Me gustaría saber dónde va a cantar Shakira este verano.
• Pedir y dar consejos
- ¿Qué harías en mi lugar?
- En tu lugar, hablaría con ella.

• Solicitar algo de forma cortés
¿Podrías ayudarme?
Me gustaría ir a casa de Pedro.
• Hacer propuestas
Deberíamos escribir a Pedro.
Tendríamos que leer este libro.

14. PRESENTE DE SUBJUNTIVO

VERBOS REGULARES

	HABLAR	COMER	VIVIR
yo	hable	coma	viva
tú	hables	comas	vivas
él, ella, Ud.	hable	coma	viva
nosotros/as	hablemos	comamos	vivamos
vosotros/as	habléis	comáis	viváis
ellos, ellas, Uds.	hablen	coman	vivan

VERBOS IRREGULARES

• Verbos con cambios vocálicos

CERRAR	VOLVER	PEDIR*	PREFERIR**	DORMIR***
cierre	vuelva	pida	prefiera	duerma
cierres	vuelvas	pidas	prefieras	duermas
cierre	vuelva	pida	prefiera	duerma
cerremos	volvamos	pidamos	prefiramos	durmamos
cerréis	volváis	pidáis	prefiráis	durmáis
cierren	vuelvan	pidan	prefieran	duerman

• Verbos con 1ª persona irregular en Presente de Indicativo

decir / dig -o		PRESENTE DE SUBJUNTIVO		
diga	hacer	hag	/ a
digas	poner	pong	/ as
diga	salir	salg	/ a
digamos	tener	teng	/ amos
digáis	conducir	conduzc	/ áis
digan	traducir	traduzc	/ an

* Se comportan igual otros verbos: en *e...ir*, excepto los que terminan en *-entir, -erir, -ervir* (menos ***servir***, que funciona igual que ***pedir***), *-ertir*.
** Se comportan igual los verbos terminados en *-entir, -erir, -ervir, -ertir* (***mentir, sentir, divertirse***...).
*** Otro verbo: ***morir.***

• Otros verbos irregulares

DAR	ESTAR	HABER	IR	SABER	SER	VER
dé	esté	haya	vaya	sepa	sea	vea
des	estés	hayas	vayas	sepas	seas	veas
dé	esté	haya	vaya	sepa	sea	vea
demos	estemos	hayamos	vayamos	sepamos	seamos	veamos
deis	estéis	hayáis	vayáis	sepáis	seáis	veáis
den	estén	hayan	vayan	sepan	sean	vean

USOS

- Expresar la opinión: *No creo que* + Presente de Subjuntivo
No creo que llueva esta tarde.
- Indicar necesidad: *Es indispensable / necesario / importante / mejor* + Presente de Subjuntivo
Es importante que vuelvas antes de la diez.
- Con el relativo *que* para indicar las características que debe tener algo o alguien
Vamos a inventar un bolígrafo que no cometa faltas de ortografía.
- Hacer hipótesis sobre el presente o el futuro
Si no llueve, esta tarde quizá vayamos al parque.
- Hablar de acciones futuras: *Cuando* + Presente de Subjuntivo + Futuro
Cuando trabaje me compraré un móvil.

- Dar instrucciones y consejos: *Decir / pedir / aconsejar / sugerir / prohibir / proponer / recomendar...* + que + Presente de Subjuntivo
Te recomiendo que leas este libro, es muy interesante.
- Expresar finalidad
Te presto mi móvil para que puedas llamar a tus padres.
- Manifestar deseos
Quiero que vengas mañana a mi casa.
- Indicar esperanza para el futuro: *Esperar que / Ojalá* + Presente de Subjuntivo.
Espero que / Ojalá llegues pronto.
- Formular buenos deseos: *¡Que* + Presente de Subjuntivo!
¡Que te diviertas!

15. PREGUNTAS DIRECTAS E INDIRECTAS

Preguntas con interrogativo	*Me gustaría / Quiero saber / preguntarle...*
¿*Dónde* vives? ¿*Cuántos* años tienes?	*...saber dónde vive.* *...cuántos años tiene.*
Preguntas sin palabra interrogativa	*Me gustaría / Quiero saber / preguntarle...*
¿*Vives en Barcelona?*	*... si vive en Barcelona.*

16. TRANSMITIR LAS PALABRAS DE OTRAS PERSONAS

- Transmitir informaciones: *Me dijo que* + Pretérito Imperfecto
Ayer, Sandra me dijo que le gustaba mucho el cine.
- Transmitir acontecimientos pasados: *Me dijo que* + Pretérito Pluscuamperfecto
Elena me dijo que había visto a Juan.
- Transmitir planes y proyectos: *Me dijo que* + Condicional
Sofía me dijo que iría a la piscina.
- Transmitir una pregunta con interrogativo: *Me preguntó que* + interrogativo + pregunta
¿Dónde vive José? Me preguntó que dónde vivía José.
- Transmitir una pregunta sin interrogativo: *Me preguntó que* + *si* + pregunta
¿Te gusta la película? Me preguntó si me gustaba la película.